Pictor laureatus.
Imi Knoebel zu Ehren.
Werke von 1966 bis 2006

Minerva.
Jenaer Schriften zur Kunstgeschichte
Band 16

Ausstellungskatalog
des Lehrstuhls für Kunstgeschichte mit Kustodie
Friedrich Schiller Universität Jena

in Zusammenarbeit mit

Carmen und Imi Knoebel,

Ulrich Müller und Karl-Michael Platen

anlässlich der Ausstellung

Pictor laureatus.
Imi Knoebel zu Ehren.
Werke von 1966 bis 2006

Universitätsforum, ehemaliges Thüringer Oberlandesgericht, August Bebel Straße 4
und
Frommannhaus im Frommannschen Anwesen, Fürstengraben 18, 07743 Jena

23. Mai bis 4. August 2006
Montag bis Freitag 11:00 – 15:00 Uhr (außer Donnerstag, 25. 5., und Montag, 5. 6.)
und
nach Absprache über Email:
Karl-Michael.Platen@uni-jena.de

Pictor laureatus.
Imi Knoebel zu Ehren.
Werke von 1966 bis 2006

mit Beiträgen

von

Imi Knoebel,

Anton Corbijn, Ivo Faber, Nic Tenwiggenhorn,

Christian Finger, Philipp Hüller,

Wolfram Hogrebe und Franz-Joachim Verspohl

herausgegeben

von

Franz-Joachim Verspohl

in Zusammenarbeit mit

Carmen und Imi Knoebel,

Ulrich Müller und Karl-Michael Platen

Lehrstuhl für Kunstgeschichte mit Kustodie · Verlag der Buchhandlung Walther König
Jena · Köln 2006

Dr. h. c. Imi Knoebel

Anton Corbijn,
Imi Knoebel, 2006,
Porträtphotographie

Werke von 1966 bis 2006
Imi Knoebel

6

Sternenhimmel, 1974 / 2006
54 Photographien, s / w
je 40 x 30 im Rahmen[1]
Privatbesitz

Universitätsforum Saal 111

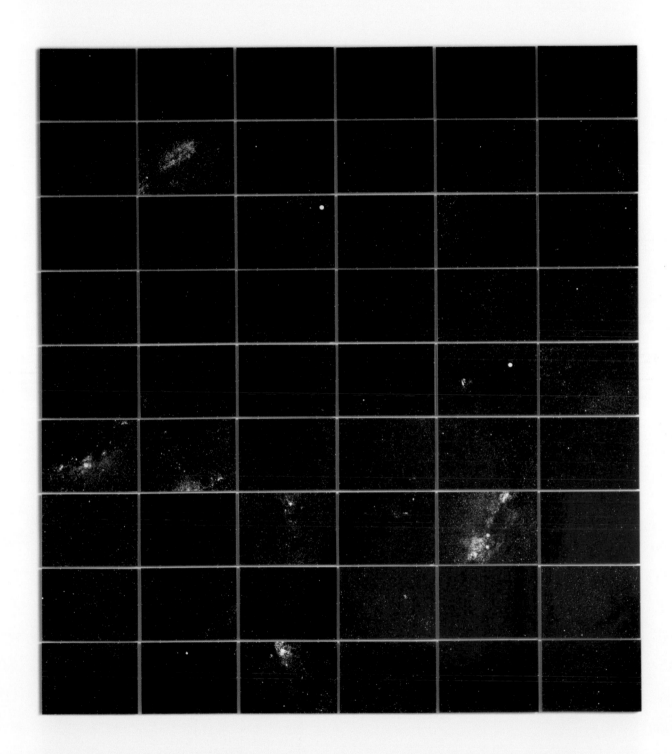

12   *Keilrahmen,* 1968
            Holz
            30 x 30
            Privatbesitz

Universitätsforum Saal 111

Raum 19 III, 1968 / 2006, Work in Progress

Hartfaser, Fichte
Privatbesitz

Wandstücke allseitig geschlossen
3 Teile je 260,0 x 130,0 x 6,2
12 Teile je 260 x 32,5 x 6,2

Doppelschrank
2 Teile je 260 x 130 x 80

Bild Wand einseitig
1 Teil 260 x 160 x 5,7

Bild Wand allseitig geschlossen
5 Teile je 260 x 160 x 6,2

Haus halbovale Formen
6 Teile je 225 x 65 x 65

Oval allseitig geschlossen
2 Teile je 130 x 97,5 x 6,2

Oval Innenteil allseitig geschlossen
260 x 65 x 6,2

Halboval allseitig geschlossen
2 Teile je 260 x 32,5 x 6,2

Halboval 2-teilig allseitig geschlossen
2 Teile je 260 x 48,75 x 32,5

Halbsäule
32,5 x 65 x 195

Kleines Oval
2 Teile je 32,5 x 32,5 x 16,25

6 Kisten
6 Teile je 90 x 65 x 90

Trapez
160 x 260 x 5,8

Trapez
130 x 200 x 5,8

Wand einseitig
4 Teile je 260 x 130 x 5,7

Wand allseitig geschlossen
4 Teile je 260 x 130 x 6,2

Raum Bild
5 Teile je 115 x 65 x 90
4 Teile je 210 x 90 x 90

14-teiliges Bild
160 x 130 / 140 / 150 bis 250 x 5,8

diagonal geteilter Würfel
48 Teile je 12 x 12 x 17

Haus mit schrägem Dach
270 x 90 x 90

20 Quader
20 Teile je 90 x 120 x 80

24 Quader
24 Teile je 45 x 90 x 45

Kreissegmente
1 Teil 78 x 17,3 x 11,7
2 Teile je 39,2 x 17,3 x 5
2 Teile je 39,2 x 17,3 x 10,8

74 Keilrahmen
57 Keilrahmen je 210 x 210
17 Keilrahmen je 180 x 180

2 von 12 Bildern
2 Teile je 160 x 130 x 5,8

**Hartfaserquadrat (Ehre an
Kasimir S. Malewitsch)**
30 x 30 x 5,8

Diverse Keile

Bild Wand einseitig
3 Teile 260 x 160 x 5,7 (nicht aufgestellt)

14-teiliges Bild
1 Teil 160 x 260 x 5,8 (nicht aufgestellt)

14

Universitätsforum Saal 111

20

Batterie, **2005**
311,0 x 387,5 x 251,0
Acryl / Aluminium
Privatbesitz

Universitätsforum Saal 111

24 *Tafel CMXXIV,* 2006
154,0 x 99,0 x 8,0
Acryl / Aluminium
Privatbesitz

Universitätsforum Saal 111

26

Ich Nicht VI, **2006**
313,5 x 400,5 x 8,4
Acryl / Aluminium / Kunststoff-Folie
Privatbesitz

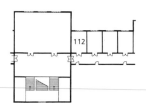

Universitätsforum Saal 112

30

Ich Nicht VII, 2006
316,5 x 290,0 x 8,4
Acryl / Aluminium / Kunststoff-Folie
Privatbesitz

Universitätsforum Saal 113

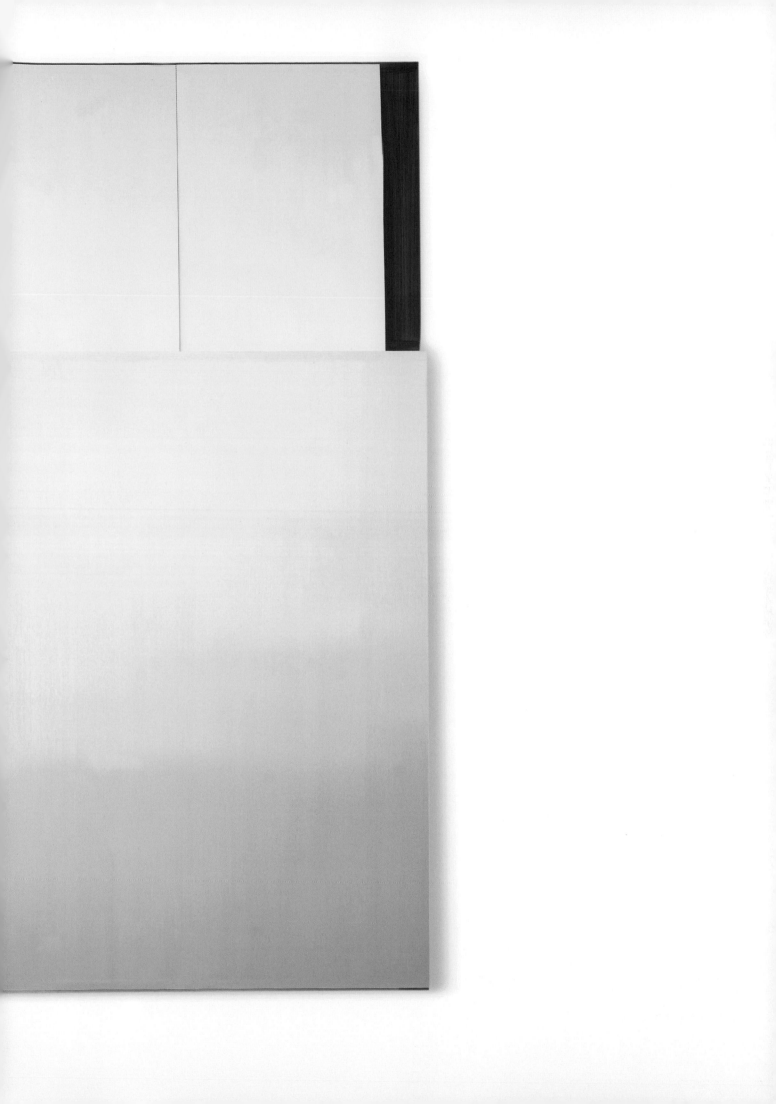

34

Ich Nicht V, 2006
318,0 x 367,5 x 8,4
Acryl / Aluminium / Kunststoff-Folie
Privatbesitz

Universitätsforum Saal 114

38

Ich Nicht IV, 2006
315 x 394 x 8,4
Acryl / Aluminium / Kunststoff-Folie
Privatbesitz

Universitätsforum Saal 115

Schoß- und Knieliedchen
Karl Simrock, *Die deutschen Volksbücher*, Basel 1892, Bd. 9, 29, Nr. 128

Analoge Kinderlieder

Schacker schacker Reiterlein,
Wenn die Kinder kleine sein,
Reiten sie auf Stöcken,
Wenn sie größer werden,
Reiten sie auf Pferden,
Wenn sie größer wachsen,
Reiten sie nach Sachsen,
Wo die schönen Mädchen
Auf den Bäumen wachsen.

Karl Simrock, *Das deutsche Kinderbuch. Altherkömmliche Reime, Lieder, Erzählungen, Rätsel und Scherze für Kinder*, Frankfurt am Main 1848, 23, Nr. 74

Drei Reiter zu Pferd,
Die Köchin am Herd,
Die Nonne im Kloster,
Der Fischer im Wasser.
Die Mutter backt Kuchen,
Sie lässt mich versuchen,
Sie gibt mir ein Brocken,
Soll Hühner mit locken.
Kommt Hühner bibi,
Die Knochen isst sie.

Karl Simrock, *Das deutsche Kinderbuch. Altherkömmliche Reime, Lieder, Erzählungen, Rätsel und Scherze für Kinder*, Frankfurt am Main 1848, 27, Nr. 85

42

Drei Reiter zu Pferd,
Wo kommen sie her?
Von Sixen, von Sachsen,
Wo die schönen Mädchen auf den Bäumen wachsen.
Hätt ich daran gedacht,
Hätt ich dir auch eins mitgebracht.

44   *Wo die schönen Mädchen auf den Bäumen wachsen,* 1993, Modell
19 x 27 x 16
Acryl / Karton / Holz / Schaumstoff
Privatbesitz

Frommannsches Anwesen Foyer 103

Wo die schönen Mädchen auf den Bäumen wachsen, 1993
Computeranimation, 2:1 Minuten, Stills

Gelber Platz Berlin, 2006
Computeranimation, 2:1 Minuten, Stills

DVD 2006
Realisierung: Christian Finger, Philipp Hüller, 2006

Frommannsches Anwesen Foyer 103

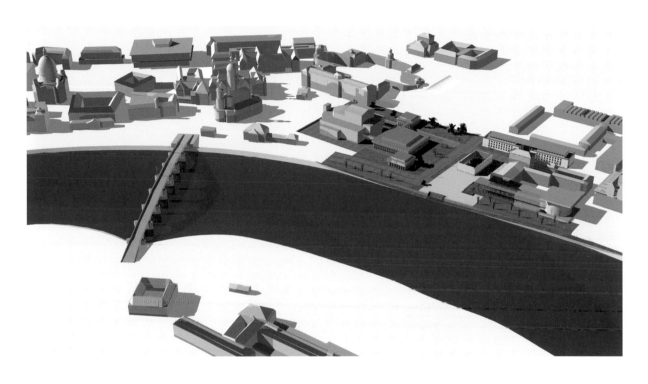

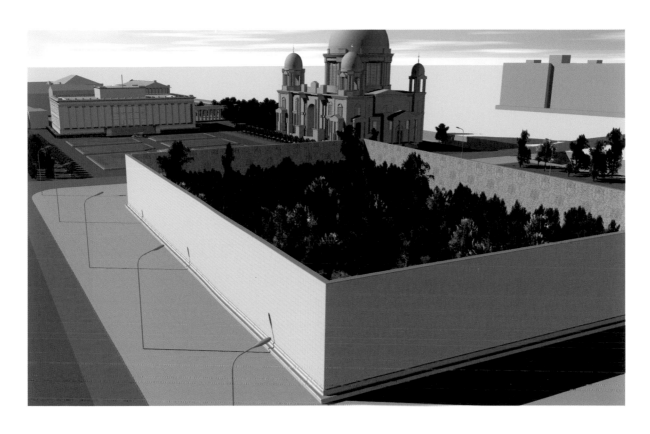

50

Jena I, **1995**
113,0 x 112,5 x 11,4 cm
Acryl / Holz / Aluminium
Jena, Friedrich Schiller Universität, Kustodie

Jena II, **1995**
113,0 x 112,5 x 11,0 cm
Acryl / Aluminium
Jena, Friedrich Schiller Universität, Kustodie

Jena V, **1995**
102,6 x 102,0 x 8,5 cm
Acryl / Aluminium
Jena, Friedrich Schiller Universität, Kustodie

Jena VIII, **1995**
100,0 x 100,0 x 2,8 cm
Acryl / Aluminium
Jena, Friedrich Schiller Universität, Kustodie

Frommannsches Anwesen 103

An meine Grüne Seite 17, 2006

An meine Grüne Seite 18, 2006

An meine Grüne Seite 20, 2006[2]

An meine Grüne Seite 23, 2006

Je 36,5 x 25,6 x 3,0
Acryl / Aluminium / Kunststoff-Folie
Privatbesitz

Tafel CMII, 2006

Tafel CMIII, 2006

Tafel CMIV, 2006

Tafel CMVI, 2006

je 42,0 x 30,0 x 5,0
Acryl / Aluminium
Privatbesitz

Frommannsches Anwesen Raum 103 A
(Gute Stube)

---

[2] Zu Gunsten der Jenaer Ausstellung erscheint von *An meine Grüne Seite 20,* 2006,
eine Auflage von 12 + 4 A. P., signiert, nummeriert und mit der Angabe *Jena 23. 5. 2006* versehen.

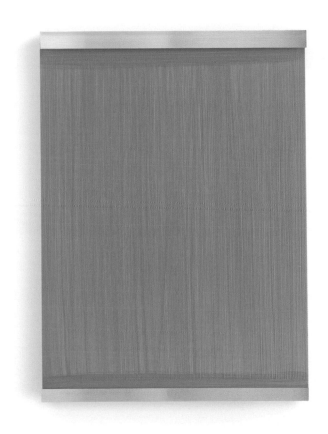

66

2-teilige weiße Konstellation, **1975 / 2006**
510,0 x 239,0 x 5,8
(237,0 x 234,0 x 5,8 / 239,0 x 200,0 x 5,8)
Acryl / Holz
Privatbesitz

Frommannsches Anwesen Raum 108
(Blauer Salon)

68

Projektion, 1968
Projektor, Diapositiv
Privatbesitz

Photographie:
Imi Knoebel, 1968

Frommannsches Anwesen Raum 108 A

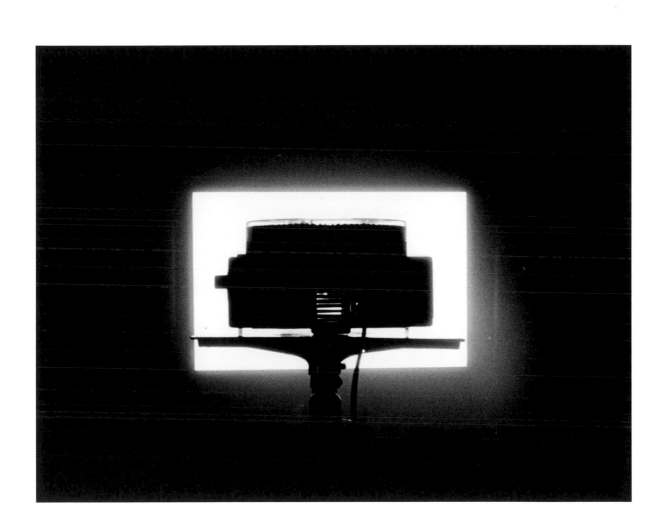

70

Ohne Titel, **1966 / 1968**
159,8 x 130,1 x 4,3
Dispersion / Linnen / Hartfaserplatte
Privatbesitz

Frommannsches Anwesen Raum 108 C

72

Sandwich 2005-7, **2005**
118 x 118 x 1,3
Acryl / Sperrholz
Privatbesitz

Frommannsches Anwesen Raum 108 C

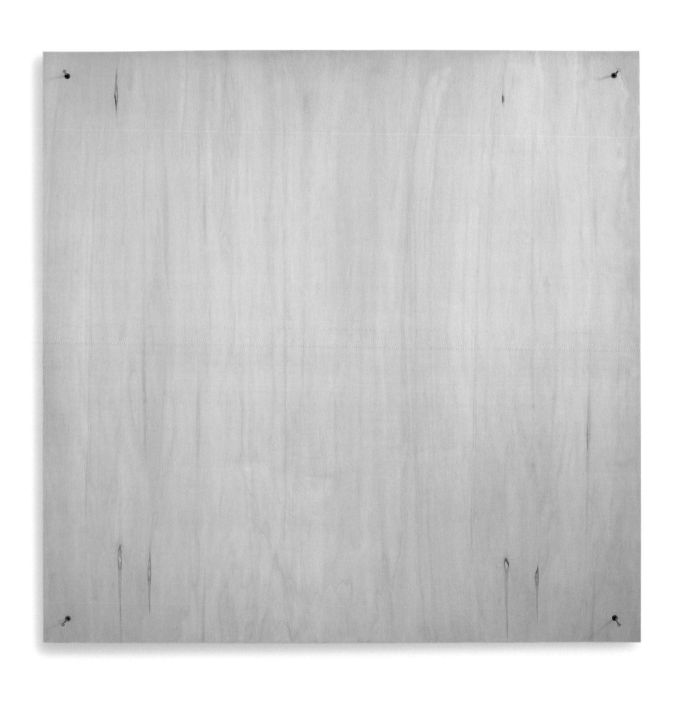

74

4-teilige weiße Skulptur, 1967
100 x 218 x 180
Acryllack / Holz
Privatbesitz

Frommannsches Anwesen Raum 108 D
(Bohlenstube)

Wüste und Paradies. Ein Weg auf das Werk von Imi Knoebel zu

Vorbemerkung

Charles Baudelaire hat bei Gelegenheit die Empfindsamkeit des Herzens von einer Empfindsamkeit der Phantasie unterschieden[3], und gerade diese Empfindsamkeit der Phantasie und nicht die des Herzens ist für die Kunst das Entscheidende, für die Schöpfung von Kunstwerken ebenso wie für ihre Interpretation. Auch wenn sich der Kunst ein philosophisches Interesse verbindet, ist wohl eine spezifische Sensibilität für diese Empfindsamkeit der Phantasie vonnöten, um dem Begriff nicht zu opfern, was der individuellen Gestalt des Kunstwerkes unveräußerlich bleibt. Gleichwohl wird der Philosoph gezwungen bleiben, begriffliche Strukturen herauszuarbeiten, Strukturen des Schönen, der Kunst, der Kunstwerke und ihrer Einbettung in den historischen Prozess des Kunstgeschehens. So bleibt ein philosophischer Zugang auf die Kunst immer ebenso riskant wie notwendig. Riskant: Weil die Strukturorientierung unvermeidlich in einiger Spannung zum einzelnen Werk verbleiben wird. Notwendig: Weil Kunstwerke immer auch Fragen an uns sind, denen geantwortet sein will. Im Bewusstsein dieser Schwierigkeiten möchte ich im folgenden zweierlei versuchen: Erstens möchte ich ästhetische Strukturen entwickeln, die einen *Weg zum Werk* Imi Knoebels freilegen, den man gehen könnte, aber natürlich nicht muss; zweitens möchte ich diese Strukturen erst gewinnen in einem (flüchtigen) Blick auf den ästhetischen Prozess des 20. Jahrhunderts, der zugleich zu einem Weiterdenken Hegels zwingt. Dieses Anliegen ist gewiss etwas kompakt und wird hier zwangsläufig sehr skizzenhaft bleiben. Es kann also ein *Weg, ein steiniger Weg zum Werk* von Imi Knoebel schließlich nur das sein, was sich hier ergibt. Das Werk selber verdient und benötigt zugegebenermaßen ein eigenes Beschreibungsregister, das hier noch nicht zur Verfügung steht.

Die Wüste

Mit der Aufklärung des 18. Jahrhunderts und vollends mit der Industrialisierung des 19. Jahrhunderts vollstreckt sich irreversibel der Prozess eines universellen Traditionsabrisses: Nichts gilt mehr in der Einrichtung der Lebensvollzüge, bloß weil es ein Überkommenes ist. Der normative Schleier des Ererbten, in dem man sich nach Väter Sitte einzurichten pflegte, zerreißt, und was gilt ist ausschließlich durch Begründungsmuster funktionaler und nicht länger historischer Art legitimiert.

In diesen Prozess, der zuerst in Europa und von hier aus in aller Welt startete, ist auch die bildende Kunst hineingestellt. Die normativen Schleier ihrer Symboltraditionen zerreißen, nichts gilt mehr, nur weil es aus Stiltraditionen der Akademien und Schulen ein Überkommenes ist, die Art der Darstellung nicht und die Sujets nicht. Darstellungsart und Sujet emanzipieren sich vollständig, nahezu bis zum Verschwinden des Gegenständlichen in Form und Farbe. Die gegenstandslose Welt ist gewissermaßen der Nullmeridian, der erreicht werden musste, um die historisch überkommenen Privilegien von Darstellungsarten und Sujets vollständig zu annullieren. Am radikalsten vollstreckt diesen Vorgang Kasimir Malewitsch (1878 – 1935), ein Künstler, der für Imi Knoebel von initialer Bedeutung wurde. Malewitsch berichtet: *Als ich im Jahre 1913 in meinem verzweifelten Bestreben, die Kunst von dem Ballast der Gegenständlichkeit zu befreien, zu der Form des Quadrats flüchtete und ein Bild, das nichts als ein schwarzes Quadrat auf weißem Felde darstellte, ausstellte, seufzte die Kritik und mit ihr die Gesellschaft: 'Alles, was wir gehabt haben, ist verloren gegangen: wir sind in einer Wüste.'*[4] Malewitsch nahm diese Diagnose positiv auf, er wollte und bejahte die Wüste, denn sie ist der Ort, der

---

[3] Vgl. Charles Baudelaire, *Théophile Gautier*, in: ders., Aufsätze, Übers. Charles Andres, München 1960, 61.
[4] Vgl. zu den folgenden Zitaten Kasimir Malewitsch, *Die gegenstandslose Welt*, München 1927, 65.

durch seine *Absenz* der Gegenstände die *Präsenz* der Empfindung allein evoziert. Und gerade diesem *Geist der gegenstandslosen Empfindung* ist, so Malewitsch, die Kunst allein verpflichtet, denn sie will *nicht mehr im Dienste des Staates und der Religion stehen, sie will nicht mehr die Sittengeschichte illustrieren, sie will nichts mehr von dem Gegenstand (als solchen) wissen.* Damit war im Prinzip ein letzter Schritt vor einer völligen Selbstpreisgabe der Kunst getan. In jedem weiteren Schritt weiter müsste sie das sinnliche Medium gänzlich verleugnen, auf das sie in Stein und Farbe, Form und Klang, Geste und Wort angewiesen ist. Diese Tendenz zur Selbstannihilation der Kunst war im 20. Jahrhundert durchaus gegeben und Adorno wollte sie darauf verpflichtet sehen. Aber man begreift diese Tendenz nicht, wenn man sie nicht bloß als Emanzipation aus der Tradition und ihren Verpflichtungen versteht. Sind nämlich diese heriditären Verpflichtungen schließlich tatsächlich abgeschüttelt, ist nicht mehr einzusehen, warum sich die Kunst den Reichtum ihres sinnlichen Mediums nicht zurückerobern könnte, frei in der Gestaltung, frei im Sujet. Dem ersterbenden Klang schießen so wieder Akkorde zu, die verblassende Farbe erstrahlt wieder im gesamten Farbspektrum, dem rätselhaften Wort wächst die semantische Fülle wieder zu, die letzte Geste fängt sich wieder in rhythmischer Bewegung. So ist es auch gekommen; hier stehen wir jetzt. Und doch blieb in diesen *neuen Mustern der Fülle* etwas Leeres, sie gleichen rätsellosen Sphingen; Augen, die schauen, und man weiß nicht wohin. Ein Wille fasst sich wieder in reiche Gestaltungen, aber was er will, ist der Gestalt nicht zu entnehmen. Diese eigentümliche Intentionslosigkeit, oder genauer: diese eigentümliche intentionale Unbestimmtheit ist Signatur heutiger Kunst, die sich in einem durchgestandenen Minimalisierungsprozess beinahe um den Preis der Selbstpreisgabe die gesamte gestaltungsnormative Kraft des Überkommenen abschüttelnd *ins Unbestimmte erneuert* hat.

Aus Gründen begrifflicher Ohnmacht und Verlegenheit sprach man daher von einer Post-Moderne, aber mit solchen Etiketten war natürlich nichts gewonnen. Das Wesentliche bleibt das rechte Verständnis des wesenlosen Blicks eines alt gewordenen Jahrhunderts, ein Blick auf irgend etwas, von dem niemand, der Künstler nicht noch sein Interpret, nominal zu sagen wüsste, was es ist. Dieser daher bloß pronominale Blick könnte das eigentliche Geheimnis dessen sein, was am Ende des 20. Jahrhunderts war.

Der Nomade

Wo allgemein Orte des Lebens aus Überkommenem nicht mehr fixiert sind, wo Orte des Lebens nur durch die Erfordernisse der Lebensvollzüge selber bestimmt werden, wo wir der Herde folgen müssen, von der wir leben, geben wir ein sesshaftes Dasein auf und werden zu Nomaden. Das Muster dieser nomadischen Lebensform können wir auch ins Gedankliche hinein abbilden. Wo ich jedesmal *von hier aus* zu denken habe, immer nur beispielsweise von hier aus, denke ich von exemplarischen Prämissen aus, die ich wieder aufgeben muss. Deshalb werde ich von solchen Prämissen aus auch keine ortsfeste Theorie ausbauen, sondern begnüge mich mit verfügbaren Folgerungen, mit Gedankenskizzen, mit denen ich mich eine zeitlang arrangiere, um auch dieses Arrangement alsbald wieder aufzugeben, um andere begriffliche Oasen aufzusuchen, um andere Prämissen zu erproben. Auf diese Weise werde ich zu einem Nomaden des Geistes, den nichts an einem Ort hält, der sich gedanklich von immer neuen Voraussetzungen anlocken lässt, um auch sie alsbald wieder preiszugeben. Wo die Begrifflichkeit so nur stationäre Gültigkeit erhält, wird sie gleichwohl nicht beliebig, sondern bleibt vor Ort lebenswichtig. Als ein solcher intellektueller Nomade mag hier der Intellektuelle unserer Zeit begriffen sein. Privilegierte Prämissen gibt es für ihn nicht mehr, das ortsfeste System nicht, nur das System der zu suchenden Wege durch begriffliche Wüsten zu begrifflichen Oasen, von Prämisse zu Prämisse.

Die immer zu suchenden Wege, die immer gefundenen Wege bilden nun in der Draufsicht tatsächlich eine Art System, besser ein Geflecht von Gedankenbewegungen, Muster, die sich ständig fortentwickeln. Der Nomade weiß um diese Muster, aber er weiß auch, dass er diese Muster nicht allein gestaltet.

Er weiß, dass er der Attraktivität der Orte, der Attraktivität alternativer Prämissen folgen muss: *er realisiert die Muster, aber er strukturiert sie nicht.*

Und dies ist schon das Allgemeine: Er muss beweglich bleiben, offenen Auges, empfänglich, aber er kann nicht hoffen, das Ziel zu produzieren, auf das er zugehen wird, *es muss sich ihm bieten.* Er wird es wählen und sich dorthin auf den Weg machen, aber zuvor hatte es sein Interesse geweckt, ihn angesprochen. Der intellektuelle Nomade blickt nicht von sich aus auf ein bestimmtes Ziel, sondern er hält seinen Blick offen für Ziele, die *sich* ihm bieten. Dieser offene Blick ist der pronominale Blick, der Blick der Nomaden auf *irgend etwas.* Und dieser Blick mag hier der beuysianische Blick genannt sein.

Beuysianismus

Die moderne Kunst ist Kunst nach dem Ende der Kunst. Hegels viel diskutierte These vom Ende der Kunst hatte ja nur den einfachen Sinn, dass die Weiterexistenz der Kunst, die natürlich auch er nicht in Abrede stellte noch bestritt, von den Energien ihres Anfangs nicht mehr zehren kann. Die Spannung, die den Funken ihres Anfangs abspringen ließ, ist inzwischen abgebaut und nährt die Flamme der Kunst nicht mehr.

Die Energien ihres Anfangs waren schon in den Geburtswehen des menschlichen Geistes gegeben. Als der vordem instinktive Gegenstandsbezug in einer großen Verstörung plötzlich gewahrte, dass die Gegenstände nicht nur stimulativ gegeben sind, sondern von den sinnlichen Arten ihres Gegebensein auch unabhängig sein mussten, da war der Riss zwischen dem, was die Dinge *für uns*, und dem, was sie *an sich* sind, aufgebrochen. Dieser Riss gab eine Differenz frei, die Bild, Symbol und Zeichen möglich macht: Die Differenz zwischen Repräsentation und dem, was sie repräsentiert. In dieser Differenz wohnt die *Verweisung*, d. h. das, was man sonst auch Geist nennt. Diese Verweisung feiert sich in der anfänglichen Kunst, indem sie Gestaltungen hervortreibt, die nur dies bezeugen: Verweisung ist möglich. Worauf verwiesen wird, bleibt anfänglich diffus, es ist die Originalsphäre schlechthin. Deshalb nennt Hegel die anfängliche Kunstform die *symbolische*. Symbolisch ist die anfängliche Kunst wie auch die Kunst der Kinder da, wo sie das, was sie *darstellen soll, nur andeutet.*[5] In der nachfolgenden klassischen Kunstform, so Hegel, wird adäquat dargestellt, in der *romantischen* schließlich wird nur noch zitiert.

Die Originalsphäre überhaupt, die über alles Sinnliche hinaus ist, wurde also zuerst symbolisch präsent gehalten und als das Göttliche verehrt, dann in Kult und Religion geborgen, d. h. schließlich nicht mehr durch Gestaltungen, sondern im Gefühl des Glaubens repräsentiert. Damit war die große Zeit der Kunst im Grunde genommen schon vorbei: Die Originalsphäre wird zu Olymp und Himmel und dort hausen Götter und schließlich der Gott, der sich in kein Bild mehr fügen will. So bleibt schließlich der Kunst kein Göttliches mehr, nur die Darstellung des Menschlichen. *Hiermit erhält der Künstler seinen Inhalt an ihm selber.*[6] Damit ist die Kunst in die Willkür ihrer Gestaltungen von der abgebauten Spannung ihres Anfangs freigegeben und befreit sich sofort ebenso zunehmend aus den verbliebenen normativen Eigenverbindlichkeiten ihrer Symboltraditionen. Und so ist auch für Hegel die Kunst nach ihrem Ende noch möglich: Nicht mehr der Gott zwar, doch der Mensch fügt sich ins Bild. Das ist *Hegels* letztes Wort, aber es war nicht *das* letzte Wort.

Denn die moderne Kunst hat sich auch von diesem historisch privilegierten Gegenstand, dem Menschen, als *ihrem* privilegierten Gegenstand verabschiedet. So dämmert der Kunst erneut ein Ende: Wo der Gott nicht, aber auch der Mensch nicht mehr oder sonst ein privilegierter Gegenstand ins Bild

---

[5] Georg Wilhelm Friedrich Hegel, *Ästhetik*, Hg. Friedrich Bassenge, Bd. II, 105.
[6] Ebda., 581.

sich fügt, ist nicht mehr abzusehen, wie die Kunst noch Bestand haben könnte. Hier gibt es nur einen Ausweg: Wo nichts Spezifisches mehr privilegiert ist, ist alles privilegiert. Wo der Künstler nicht mehr, wie noch von Hegel vorgesehen, sein eigener privilegierter Inhalt war, und es jetzt nicht mehr sein kann, wird jeder Künstler. Dies ist die Konsequenz, die zuerst die Frühromantik, dann Joseph Beuys in seinem *Erweiterten Kunstbegriff* gezogen hat. Er streift wie zu Urzeiten erneut als Nomade durch eine Welt von Gegenständen, für deren Würdigkeit, *die Verweisung* zu bezeugen, er offenen Auges ist. Er richtet sich in keiner festen Behausung einer Gestaltungsart ein, er zieht von Ort zu Ort, gestaltet Vorfindliches, sofern es sich ihm meldet. So bezeugt das Oeuvre von Joseph Beuys ein Geflecht be-gangener Wege, ein Muster, das er zwar selbst realisiert hat, aber nicht strukturiert. Strukturgenerierend waren die Dinge selbst, die sich ihm anboten. Sie bestimmen selbst die Finalität ihres Gestaltungsprozesses. Der Künstler tritt daher das Hoheitsrecht der Finalstruktur seines Gestaltens an das Ding ab. Joseph Beuys: *Also ich sage nie: Ich erkläre das Ding für fertig, sondern ich warte darauf, bis der Gegenstand sich meldet und sagt: Ich bin fertig [...] Ich entscheide nie, ob's fertig ist, sondern der Gegenstand muss sich melden und sagen: So, ich bin fertig. Ich versuche, das zu verwirklichen, was die Intention verwirklichen will; also was jetzt da kommt und steht und noch nicht ganz fertig ist, was das Holz oder der Stein will, aus sich heraus, dem spüre ich nach.*[7]

Diese Übergabe der Souveränitätsrechte des Gestaltungsprozesses an das Ding ist ein fundamentales Prinzip, nicht einer Person zugehörig, sondern einem Denken, in das viele eingelassen sind. Hierfür sei behelfsweise das Wort *beuysianisch* eingeführt, so dass wir auch von einem *Beuysianismus* sprechen können, einem stilisierten Denkmuster, das mit der biographischen Person kaum noch etwas zu tun hat. Ein Prinzip des Beuysianismus lässt sich in seiner Allgemeinheit so fassen: Der Mensch tritt aus der Rolle des *homo faber* heraus und erkennt als Maß seines Handelns das Ding an. Nicht gilt mehr verum *et factum convertuntur.* Nicht der herstellende Mensch ist das Maß aller Dinge, sondern das Ding wird zum Herstellungsmaß des Menschen. Dieser Polsprung ist das Grundsätzliche und Neue des Beuysianismus, der sich in dieser Hinsicht natürlich, wie schon gesagt, nicht nur im Werk von Joseph Beuys findet, sondern ebenso bei anderen Künstlern, Denkern, auch Dichtern wie z. B. Peter Handke. Hier kündigt sich ein neues Verhältnis des Menschen zur Welt an, die nicht mehr die seinige ist, sondern er der ihrige. Die Eigentumsverhältnisse haben sich hier verkehrt: Der Mensch steht nicht mehr in einem Herrschaftsverhältnis zur Welt, die er sich untertan macht, sondern er handelt und gestaltet in einer Welt, unter deren Botmäßigkeit er steht. Dieses neue Verhältnis zu den Dingen beruht auf einer neuen Wahr-nehmungsweise, die nicht mehr fixiert und mit Blicken tötet, sondern die offenen Auges für irgend etwas ist, das *sich* meldet. Dieser pronominale Blick erkennt an, dass alles, *was sich zeigt,* nur ein *Beispiel für irgend etwas* ist, jenes irgend etwas, das ein Sichzeigen erst möglich macht wie die Variable das Auftreten von Argumenten. Nur wo irgend etwas den Platz bereithält, kann etwas Bestimmtes auftreten. Dieser hier sehr ins Abstrakte ausgezo-gene Aspekt des Beuysianismus fokussiert ihn in einer Pronominalmetaphysik[8], für die alles Vergängliche nur ein Gleichnis ist; wovon jedoch, das kann sie nicht sagen, nur: für irgend etwas.

Auf dieser sehr elementaren Stufe unseres neuen Selbstverständnisses werden wir zu reziproken Medien dessen, was ist. Wir sind eben weder nur *aktiv,* noch auch nur *passiv* in die Welt hineingestellt, sondern vordem schon *medial.* In dieser medialen Weltstellung registrieren wir alles zunächst als intensive Größe, sind wir wie ein von der Natur geeichter Thermometer dessen, was ist. Damit sind wir in Energiefelder hineingestellt, deren Spannungen wir schon empfinden, bevor wir sie noch mit Skalen messen können. Unsere mediale Weltstellung verlangt so eine Theorie primärer Registraturen in der Empfindung nach Art einer natürlichen Thermodynamik. Joseph Beuys: *Wir sind selbst ein Wärmewesen, wir leben selbst wie eine aufrecht gehende Wärme-Entität.*[9] Das gilt für uns wie für alles. In der medialen Empfindung

[7] Volker Harlan, *Was ist Kunst? Werkstattgespräche mit Beuys,* Stuttgart 1988³, 37.
[8] Vgl. Wolfram Hogrebe, *Metaphysik und Mantik*, Frankfurt am Main 1992.

wird uns alles primär als Wärmewesen zugänglich. Metall, Stein, Ton, Farbe, alles hat seinen spezifischen Strahlungsgrad: *to be is to beam.*

Wenn wir jetzt die Fäden zusammenfassen, dürfen wir sagen: Die Kunst nach Hegel befreit sich von normativen Substanzen der Tradition, befreit sich von privilegierten Sujets, hat auch das Menschliche, das Hegel noch final als letzten Gegenstand der Kunst bestimmte, fahrenlassen, erobert sich einen neuen Spielraum ins Unbestimmte, ist daher Kunst des Nomaden, der von Ort zu Ort zieht; auch die Kunst entdeckt unsere mediale Weltstellung, nimmt ihre Gegenstände als intensive Größen wahr, emanzipiert den Künstler, universalisiert das Sujet, alles ist Kunst, jeder ist Künstler. Der Beuysianismus verlangt eine neue Art der Wahrnehmung, aus der eine neue Weltpraxis folgen soll.

Wenn man diese Beobachtungen bündelt, wird man zu einer interessanten Hypothese gedrängt: Die neue Kunst schickt sich an, den Kreislauf der Kunstformen, wie Hegel sie in symbolische, klassische und romantische fasste, *auf neuem Niveau zu wiederholen.* Wir hätten folglich im Beuysianismus mit einer *neuen symbolischen Kunstform* zu rechnen, mit einer Renaissance des symbolischen Geistes, der gestaltend andeutet und weiß doch nicht: was. Denn wenn sich das Menschliche[10] in dem, wozu es in Horror und Heiligkeit fähig ist, erschöpft und verbrannt hat, wenn die *disiecta membra des Menschen* nur noch herumliegen wie totes Gebein, wenn der Humanus zu Humus wird, das Gefühl zu Glitsch, das Feine zu Filz, die Phantasie zu Fett, dann hat die Stunde der neuen symbolischen Kunstform geschlagen. Sie hat den Humanus im *Palazzo Regale,* 1985, von Joseph Beuys beigesetzt, sie hat die Totenbehausung und Sarkophage in jeder Zinkwanne wiedererkannt, sie greift ins *Massenhafte und Schwere,* nimmt die Erde auf, das Fell, das Fett, den Filz und findet in Kupfer und Stein die amorphe Gestalt, die zwar andeutet, und weiß doch nicht: was. Diese neue symbolische Kunstform ist episch in ihren Konstellationen alltäglicher Gebrauchsdinge, episch in ihren Arrangements der Restlichkeiten unserer Welt, der Reliquien des Humanus, und sie ist ebenso architektonisch in gestalteten Innenräumen und Außenräumen, auch da, wo sie in neue Pflanzungen übergehen. Jedes Arrangement bezeugt ein Energiefeld, das der nomadische Geist aufgesucht und verlassen hat, dessen Wege ein Geflecht und Muster realisieren, das die *Soziale Plastik* ist. Ihre Struktur verdankt sie der Welt, nur ihre Realisierung blieb dem Menschen überlassen.

Das Paradies

Joseph Beuys gestaltete die Schwelle zur neuen symbolischen Kunstform, das Drama eines neuen symbolischen Ausgangsgeschehens, das sich gut unter seinen Titel fassen lässt: *Von hier aus,* 1984. Er inszeniert den Schwellenprozess, aber tritt nicht mehr aus ihm heraus. In der neuen symbolischen Kunstform gilt es ja, Stück für Stück eine neue Formenwelt zu entdecken, Formen die sich der neuen Wahrnehmungsweise zu erschließen vermögen. In einen solchen Entdeckungsprozess scheint mir auch das Werk Imi Knoebels hineingestellt zu sein. Er hielt von Anfang an, gerade auch als sein Schüler, jenen spannungsvollen Abstand von Joseph Beuys, der notwendig ist, um von ihm lernen zu können, ohne sich selbst preiszugeben.[11] So knüpfte er an Malewitsch an, aber nicht, um wie dieser den Nullmeridian *anzustreben,* um die Verpflichtung symbolischer Tradition abzuschütteln, sondern, um von diesem *auszugehen,* um neue ästhetische Räume zu erschließen. Für den Ausgangspunkt im ästhetischen Nullmeridian mag hier z. B. Imi Knoebels *Keilrahmen* von 1968 stehen.[12] Imi Knoebel ist daher sofort extrem weit von Joseph Beuys entfernt, obwohl es auch charakteristische Berührungspunkte mit dem

[9] Volker Harlan, a. a. O., 25.
[10] Vgl. zu folgender Passage Wolfram Hogrebe, *Die semantische Plastik,* in: *Distanz im Verstehen,* Hg. Josef Simon, Frankfurt am Main 1995, 141.
[11] Vgl. das Gespräch zwischen Wolf Knoebel und Johannes Stüttgen am 6. 1. 1982 in: *Der ganze Riemen - IMI & IMI 1964 –1969,* in: Eindhoven 1982, *Imi Knoebel,* Stedelijk van Abbemuseum, 94 – 98.
[12] Vgl. Johnnes Stüttgen, *Der Keilrahmen des Imi Knoebel 1968 / 89,* Köln / Bonn 1991.

Beuysanismus gibt, auf die ich später eingehen werde. Er ist aus eigenem Anfang vor allem in der Hinsicht extrem weit von Joseph Beuys entfernt, als er in seinen Arbeiten nicht ins Naturalistische, ins Didaktische, nicht ins Semantische oder ins Epische geht, es sei denn, es gäbe so etwas wie eine Semantik oder Epik der reinen Form, der reinen Farbe.

Imi Knoebels Bilder gehen von einem set von Farb- und Formelementen aus, deren universales Variationsmuster in Serien von Bildern nach Art von Übungen präsent ist. Diese Bildserien ähneln in ihrer unerhörten Konzentration in der Tat geistigen Übungen, sind *Exercitia spiritualia*. Präzision, Klarheit und Schönheit, die den Bildern von Imi Knoebel gerade in ihrem Exerzitiencharakter eigen sind, machen natürlich Philosophen für sie anfällig, denn Präzision und Schönheit sind keine Gegensätze. Die Zentrierung der Bilder auf ein nur in der Zusammengehörigkeit der einzelnen Bilder einer Serie greifbares Urbild hin verleiht ihnen auch eine bildtranszendente Strenge, die geradezu mythische Qualitäten aufweist. Was der Dichter Peter Handke von seiner Arbeit sagt, trifft in gewisser Weise auch auf die Arbeiten Imi Knoebels zu: *Die vergessene, anonyme Sprache aller Menschen wiederfinden, und sie wird erstrahlen in Selbstverständlichkeit.*[13] Imi Knoebels Bilder sind solche Wiederfindungen der vergessenen, anonymen Sprache aller Menschen und sie erstrahlen in Selbstverständlichkeit.

Was nun Imi Knoebels Arbeiten aus großer Entfernung doch mit dem Beuysianismus verbindet, ist die Gestaltung intensiver Größen. Bei ihm wird auch der Raum, auch die Form, auch die Linie intensive Größe, d. h. Sache des Grades. Das ist nicht leicht verständlich. Wie ist es möglich, dass eine Linie eine intensive Größe wird? Offenbar nur durch Ausschöpfung dessen, was das Linienhafte der Linie ist. Ein Projekt zur Ausschöpfung der Linienintensität sind Imi Knoebels *Linienbilder,* ab 1964. 1975 wurden von Imi Knoebel in der Düsseldorfer Kunsthalle eine viertelmillion Blätter mit senkrechten oder waagerechten Bleistiftlinien nach einem strengen Variationssystem ausgestellt. Von diesem Projekt konnte der Besucher der Ausstellung allerdings nur wissen, sehen konnte er die Blätter nicht, sie lagerten in schwarzen Schränken wie in aufrechten Särgen eingeschlossen. In diesem geradezu manischen Projekt einer ästhetischen Selbstbeisetzung wird der Exerzitiencharakter seines Werkstils besonders deutlich.

81

Dass auch der Raum von Knoebel als intensive Größe gestaltet wird, also gerade nicht als geometrischer Raum, sondern aus der Erfahrung räumlicher Intensität, bezeugen seine Räume *Raum 19,* 1968, *Genter Raum,* 1980, *Heerstraße 16,*1984. Was ferner in variierenden Farbkombinationen an Farbintensitäten möglich ist, welcher Steigerung Farbintensitäten fähig sind, hier ist der semantische Minimalist Knoebel intensiver Maximalist. Die Farbe erhält in seinen Arbeiten eine Strahlungsintensität, die geradezu auratisch ist.[14] Sein Weiß ist *Princess of White,* 1995. Man darf auch nicht verkennen, dass die Farbentdeckungen von Imi Knoebel auf sehr subtile Weise nicht im Gegensatz zum Filzgrau von Joseph Beuys stehen. Dieser hatte seinerzeit gesprächsweise gesagt: *Ob ich nicht daran interessiert bin, durch diese Filzelemente die ganze farbige Welt als Gegenbild im Menschen zu erzeugen, danach fragt keiner. Also: eine lichte Welt, eine klare, lichte, unter Umständen eine übersinnlich geistige Welt damit zu provozieren, durch eine Sache, die ganz anders aussieht, eben durch ihr Gegenbild.*[15] Dieses *Gegenbildverfahren* von Joseph Beuys indiziert in der Tat eine verschwiegene Nähe zwischen diesen eigenständigen und ansonsten so divergenten künstlerischen Temperamenten. Aber tatsächlich beglaubigt gerade die lichte, ins Überirdische gehende Farbwelt Imi Knoebels auch das, was ich probeweise das ontologische Grundprinzip eines stilisierten Beuysianismus genannt hatte: dass Sein Strahlen heißt. So gibt es bei aller Divergenz im Darstellungsstil doch immer noch strukturelle Gemeinsamkeiten, die es überhaupt als aussichtsreich erscheinen ließen, auf diesem Weg auf das Werk Imi Knoebels zuzugehen.

---

[13] Peter Handke, *Das Gewicht der Welt,* Salzburg 1977, 70.
[14] Vgl. die Serie *Grace Kelly* , 1990. Dazu Rainer Crone / David Moos, *Imi Knoebel und Grace Kelly : The High, in: Parkett,* Nr. 32, 1992, 46 ff.
[15] Jörg Schellmann / Bernd Klüser, *Joseph Beuys - Multiples, Fragen an Joseph Beuys,* Teil 1, o. O. 1970. Zitiert nach Volker Harlan, a. a. O., 111.

Eine wichtige Wahrnehmung im Werk eines Künstlers ist immer die Registratur der im Werk wirksamen Störungsenergien. Denn niemals beherrscht eine einzige Gestaltungsenergie die Bildwerdung. Dieses *binnenanarchische* Moment ist bei Imi Knoebel in den manchmal kaum merklichen Abweichungen von der Standard-Geometrie gegeben. Bildebenen korrespondieren, aber mit kalkulierten Abweichungen; Flächen zitieren geometrische Verhältnisse, aber sie verletzen kaum merklich die Orthogonalität; Farben indizieren Entsprechungen, aber die Farbtönung weicht ab. Diese *Technik der kalkulierten Verstörung* gibt den Arbeiten von Imi Knoebel eine eigene Bedrohlichkeit, die in der Regel mit Eleganz gebändigt erscheint, aber sie bleibt als ein Beunruhigendes erhalten.

Auch die Ausrichtung in ein Unbestimmtes, auf irgend etwas hin, die pronominale Struktur, von der oben die Rede war, ist den Arbeiten Imi Knoebels zu eigen. Wo sie in Selbstverständlichkeit erstrahlen, dulden sie keine externe Begründung noch einen externen Sinn. Sie bezeugen semantisch nur eins und erneut: *Verweisung ist möglich,* es gibt Geist. Schließlich findet sich auch das Nomadische, von dem oben die Rede war, in streng kontrollierter Weise in Knoebels Bildern: Jede Farbkombination, die er in eine Arbeit versammelt, ist eine Prämissenklasse, von der beispielsweise auszugehen ist, um andere aufzusuchen. Aber bei jeder dieser extrem schönen, ja bis zum Schmerz blendend schönen Farbkombinationen Imi Knoebels fühlt man, und das ist eine Botschaft, die sich dem Betrachter vermittelt, der sich von jedem Bild Imi Knoebels wie von einem brennenden Dornbusch abwenden muss: *Wer von hier ausgeht, findet ein Paradies,* ein Paradies für Kinder. Imi Knoebels Kunst ist *Kunst pour les enfants du paradis,* einen Ort, den jeder finden kann, der nur Imi Knoebels *Kinderstern,* 1989, zu folgen vermag.

Wolfram Hogrebe

82

Malgründe, Malschichten, Bildtableaus [16]

Leinwand und Bildpläne

Im Gespräch mit Joachim Gasquet äußerte Paul Cézanne: *Die Farbempfindungen, die das Licht ergeben, verursachen Abstraktionen, die mir weder gestatten, meine Leinwand ganz zu decken, noch die Begrenzungen der Gegenstände zu verfolgen, wenn die Berührungsstellen fein und zart sind. Daraus ergibt sich, dass mein Bild oder Gemälde unvollständig ist.* [17] Mit seiner Beobachtung bestätigte Cézanne nicht nur die Wechselwirkung von Seherfahrung und Abstraktion, die er bewusst zum Motor seines Kunstwollens machte, sondern deutete auch an, dass er das bis dahin als gegeben geltende Verhältnis von Malgrund (Leinwand) und Malschichten (Plänen) in Frage stellt, weil die voraussetzungslose Akzeptanz ihres innigen Verhältnisses bereits eine Konditionierung und Prägung des Blicks bedingt. Wenn Cézanne daher von der Unvollständigkeit des Bildes spricht, thematisiert er die Folgen, die die Entdeckung des Ablaufs der Wahrnehmungsweisen für den Maler hat, der ihnen bei seinem Bildaufbau folgen will. Die Leinwand, der Malgrund, ist nicht mehr nur ein funktionales Hilfsmittel, sondern wird als Gestaltungselement erkannt und genutzt. Zwar hatten schon vor Cézanne Künstler dem Bildträger einen entscheidenden Anteil an der Bildwerdung zuteil werden lassen, aber niemand forderte wie Cézanne: *Man muss die Pläne sehen* [18] und deshalb auch die Leinwand in das malerische Kalkül einbeziehen. Der Maler aus Aix-en-Provence machte mit dieser Einsicht nicht nur auf den Bedingungszusammenhang zwischen Bildträger und Malschichten aufmerksam, sondern schärfte den Blick für die selbstreferentielle Wirkkraft der Malmittel als solche, die er dadurch stärker zur Geltung bringen wollte, dass er ihren Anteil an der bildlichen Symbolbildung zurückzudrängen versuchte. In einzelnen Bildpartien seines Spätwerks verzichtet er auf die figurative Fixierung der Bildelemente und entwirft sie als farbige Flächenschemata. [19]

83

Simultaneität

Die Kubisten griffen Cézannes Verfahren unmittelbar auf und trugen mit der bildmäßigen Zergliederung der von ihnen dargestellten Gegenstände dazu bei, die Leinwand bewusst als eine Ebene und jede weitere Malschicht als Sprengung des flächigen Bildcharakters zu verstehen. Sie erkannten das Paradoxon der einen Fläche und der vielen Malschichten, die Volumina und Raum erzeugen sollen und die daher, wenn sie nicht ein illusionistisches Kontinuum ergeben sollen, von einander getrennt werden müssen. Sie setzten die Bildschichten nebeneinander und schnitten die aufeinander stoßenden Farbflächen zweier unterschiedlicher Bildebenen durch schraffenartige Verdichtungen so an, dass sich die Plangründe wie durch eine *Passage* verschleifen konnten. Auch dieses Verfahren der Kombination von

---

[16] Die Jenaer Ausstellung *Pictor laureatus. Imi Knoebel zu Ehren. Werke von 1966 bis 2006* beansprucht nicht, eine Retrospektive im klassischen Sinne zu sein. Vielmehr folgt sie dem Vorschlag des Künstlers, anlässlich seiner Ehrenpromotion in Jena aus seiner Sicht als paradigmatisch für seinen Werklauf angesehene Bildwerke mit aktuellen zu kombinieren. Sie schließt an die erste Jenaer Ausstellung *Imi Knoebel Jena Bilder* an, die exakt vor zehn Jahren, 1996, im ehemaligen Zeiss-Observatorium am heutigen Abbe-Platz gezeigt wurde, wo das Kunsthistorische Seminar damals seinen Sitz hatte. Im Katalog der damaligen Ausstellung erschien erstmals eine kommentierte Biographie zum Lebens- und Werklauf von Imi Knoebel, die in Folgepublikationen aktualisiert wurde und wird und auf die viele Autoren nach 1996 als Quelle zurückgriffen. Nicht unähnlich erging es dem Beitrag sowohl Wolfram Hogrebes als auch des Autors dieses Textes. Da der Katalog von 1996 vergriffen ist, wurden beide Beiträge für diesen Katalog übernommen, wobei der zweite um zahlreiche Fußnoten mit Exkurscharakter erweitert ist, um den Werkzusammenhängen mit Blick auf ein nunmehr vierzig Arbeitsjahre umspannendes Oeuvre annähernd gerecht zu werden zu versuchen. Der Text der Imi Knpoebel am 23. Mai 2006 durch den Dekan der Philosophischen Fakultät, Prof. Dr. Wolfgang Dahmen, überreichten Urkunde der Ehrenpromotion lautet: *Die Philosophische Fakultät der Friedrich Schiller Universität Jena verleiht dem Bildenden Künstler Imi Knoebel den Doctor philosophiae honoris causa für sein bedeutendes künstlerisches und kunsttheoretisch durchdrungenes Oeuvre, das von der Idee getragen ist, den Betrachter mit Hilfe der Bildsprache in seiner geistigen und sinnlichen Selbstentfaltung zu bestärken.*

[17] Paul Cézanne, *Über die Kunst*, Mittenwald 1980, 30.

[18] Ebda.

[19] S. Zürich 2000, *Cézanne. Vollendet Unvollendet*, Kunsthaus, Nr. 118 ff.

Plangründen und *Passage* zielte auf die Autonomisierung der letzten bildnerischen Mittel, der Farbpläne und des Malgrundes, die Cézanne bereits eingeleitet hatte. Picasso, Braque und Gris reduzierten daher die Anzahl der Farbschichten und konnten auf diese Weise die Gegenstandsform (Formwert) und die Oberflächenbeschaffenheit eines Gegenstandes (Farbwert) unabhängig von einander machen und als eigenständige Größen des Bildes behandeln.[20] Sie gaben der Farbe und dem Malgrund auf diese Weise ihren Eigenwert und erreichten zugleich die Sichtbarmachung der Eigenaktivität der bildnerischen Mittel, denen Paul Klee nur wenige Zeit später in seinen Beiträgen zur bildnerischen Formlehre bahnbrechende Einzeluntersuchungen widmen sollte, die in der Erkenntnis münden, dass jede Form [...] *ein Bild für sich und zwar ein Bild mit reiner Bewegungsform* sei.[21]

Mit diesen Überlegungen war eine Etappe auf dem Weg zur *Proklamation der bildnerischen Integrität* getan und das seit Édouard Manet angestrebte Ziel der Malerei, *ihr eigenes Objekt zu werden*, nähergerückt.[22] Der Kubismus hatte den Weg freigegeben für das Bild als Bild und die Möglichkeiten eröffnet, alles Darzustellende zum Bildträger und seinen Bedingungen in Beziehung zu setzen. Der nachfauvistische Matisse ging von den Farbplänen Cézannes und der Kubisten zu delikaten Farbflächen über, deren Begrenzungen subtil wenige Bildschichten andeuten, so dass das Paradoxon zwischen Bildträger und Malschichten annähernd aufgelöst war.[23] Doch Kasimir Malewitsch und Piet Mondrian genügte diese Reduktion nicht. Sie schufen monochrome, suprematistische Bilder oder strenge horizontalvertikal angelegte Kompositionen, bei denen sich das Problem des Verhältnisses von Malgrund und Malschichten nicht mehr zu stellen schien.

Zwar hatte der russische Maler gefordert *Man muss den Formen Leben und das Recht auf eine individuelle Existenz verleihen,*[24] doch er erreichte dieses Ziel, beginnend mit seinem *Schwarzen Quadrat auf weißem Grund* von 1915, nur dank einer die bildnerischen Elemente einengenden Reduktion, die keinen Spielraum mehr für die Dimensionen des bildnerischen Schaffens selbst gewährte, so dass das Einzelwerk zur allenfalls wiederholbaren Ikone erstarren musste.[25] Doch Jackson Pollock und Wols erkannten auch in Malewitsch und Mondrians Verfahren den Verzicht auf die äußerste Konsequenz. Die Leinwand blieb immer noch ein dienender Träger, eine nachgeordnete Instanz. Daher sprengten sie Malewitschs *Schwarzes Quadrat auf weißem Grund* auf und machten den Bildträger ihrer informellen, nicht-relationalen und polyfokalen Malerei zum integralen Bestandteil eines *Gewebes,* das zwar nur eine Schauseite hat, welche aber auf seine Tiefe und zugleich seine Rückseite verweist. Lucio Fontana schließlich, der die farbig gefasste Leinwand zerschnitt, verhalf ihr zu einem Eigengewicht, das sie zuvor nicht gehabt hatte. Sie wurde nun um den Preis der Reduktion oder Aufgabe der Malschichten selbst zur anschaulichen Ausdrucksform.

---

[20] S. Franz-Joachim Verspohl, *Kopf, Hand und Sinne. Dingwelt und Bildwelt in Frankreich um 1900,* in: Berlin 1986, *Zwischen Fahrrad und Fließband. Absolut modern sein. Culture technique in Frankreich 1889 – 1937,* Staatliche Kunsthalle, 258 – 268. Juan Gris hat dieses Darstellungsprinzip in dem Papier collé *Der Tisch,* 1914, Philadelphia, Museum of Art, geradezu didaktisch veranschaulicht. Unter den Utensilien des Tisches hebt er die Zeitung *Le J[ournal]* hervor, die teilweise als Realitätsfragment in das Bild montiert ist. Neben dem Titel kann man eine Zigarette erblicken, obwohl man zunächst meinen möchte, es seien deren zwei. Doch bildmäßig sind die beiden Darstellungen nur der Form- und der Farbwert ein- und desselben Gegenstandes. Oberhalb ist die Zigarette in ihrer Hülle, in der Oberflächenbeschaffenheit des Dinges, unterhalb in ihrer Form als länglicher Zylinder oder Rohr gegeben. Man würde diesem Detail nicht besondere Aufmerksamkeit schenken, wenn nicht unter der Verdoppelung der Zigarette ein Teil der Schlagzeile des *Journals* zu lesen wäre - *LE VRAI ET LE FAUX* -, die nun zum Programm des gesamten Bildes wird.

[21] Paul Klee, *Kunst-Lehre,* Leipzig 1987, 213. S. auch Jena 1999, *Paul Klee in Jena 1924. Der Vortrag,* Stadtmuseum Göhre, 120 ff.

[22] André Masson über Kasimir Malewitsch, in: ders., *Wie ich es sehe* (1950), in: ders., *Gesammelte Schriften I,* München 1990, 200 f.

[23] S. Düsseldorf 2005 / 2006, *Henri Matisse. Figur Farbe Raum,* Kunstsammlung Nordrhein-Westfalen.

[24] Kasimir Malewitsch 1915, in: ders., *Écrits,* Paris 1975, 193.

[25] Imi Knoebel hat das Spannungsverhältnis zwischen Bildwerk und Ikone erkannt und in seinem Multiple *Hartfaserquadrat (Ehre an Kasimir S. Malewitsch)* von 1991, aufzuheben versucht. Nach fünfundzwanzig Jahren der Auseinandersetzung mit Malewitschs Oeuvre darf das Editionsobjekt als konsequenteste Korrektur der Werkästhetik des russischen Suprematisten gelten. Aus dem Unikat wird ein Auflagenwerk, aus dem Gemälde ein Bildtableau ohne aufgesetzte, nicht mit dem Werkstoff und seiner Formung verbundene symbolische Gehalte, die Malewitschs *Schwarzem Quadrat auf weißem Grund* immer noch anhaften. Knoebels Hartfaserquadrat präsentiert sich selbstreferentiell als das, was es ist. Es verweist auf nichts, sondern ist lediglich anwesend. Zum Verhältnis von Knoebel zu Malewitsch s. Hubertus Gassner in: München u. a. O. 1996 / 1997, *Imi Knoebel. Retrospektive 1968 – 1996,* 47 ff .

Joseph Beuys, der Fontanas Schnitt in die Leinwand an einer *Fontana-Dose,* 1957, nachvollzog, erkannte auch in dieser Geste noch immer die Indienstnahme des Materials und verstand sich als erster Realkubist, der nicht nach einer *Allseitigkeit* der Dinge in der Fläche strebt, sondern sie ganz real auftreten lässt, *als Werkzeuge, mit denen man so umgeht, dass eine Allseitigkeit tatsächlich erreicht wird.*[26] Zu diesem Zweck musste er die Symbolfunktion seiner Materialien und Werkelemente so weit zurückdrängen, dass sie tatsächlich auch als benutzbare Gegenstände, als Aktionsobjekte, erkennbar blieben und sich in ihrer praktischen Einsetzbarkeit geradezu aufdrängten. Nur so konnte er die Wirkmächtigkeit ihrer metaphorischen Bestimmtheit zurückdrängen und die Aufmerksamkeit auf die Beschaffenheit und Anwendbarkeit lenken. Seine Schüler verstanden ihn sofort, als sie 1967 seine inzwischen legendäre Ausstellung in Mönchengladbach sahen.[27] Hatte sich ihnen Joseph Beuys bis zu diesem Zeitpunkt als Lehrer mitgeteilt, so sahen sie endlich das Werk, dass nun in seiner Gegenwärtigkeit zur Gegenprobe der Theorie wurde. Die Anwesenheit der *Dinge* musste ihnen wie eine Offenbarung erscheinen, die über die Unmittelbarkeit des *Schwarzen Quadrats auf weißem Grund* von Malewitsch oder einer Komposition von Mondrian hinausgeht.

Joseph Beuys bewies – nicht um die Differenz aufzuheben, sondern um die gleichrangige Wechselwirkung festzustellen – die Möglichkeit, das Kunstwerk dem Naturwerk so vergleichbar zu machen, dass die Grenzen ihrer Unterscheidbarkeit fließend werden. Malewitsch argumentierte ähnlich, doch musste er als Agnostiker den Nachweis in seiner bildnerischen Praxis schuldig bleiben.[28] Beuys dagegen erleichterte mit seiner Vorgabe seinen Schülern den Start auf eine sinnliche Kunst zu, die *adhärente Signale,* dem Bildwerk rein äußerlich aufgebürdete Symbole zu vermeiden sucht und auf *selbständige Signale als existentielle Ankündigung eines Dinges* [29] zielt, um ihren operationalen Charakter zu betonen. Dieser Zugriff lässt sich sowohl über die *Natürlichkeit* des Kunstwerkes als auch über seine *Künstlichkeit* erreichen. Imi Knoebel entschied sich wie Blinky Palermo für den zweiten Weg und ging von einer ihm wie auch immer zugefallenen Setzung aus, deren Zusammenhänge sich ihm nach und nach entfalteten.[30]

85

---

[26] Joseph Beuys im Gespräch mit Erika Billeter, 1981, zit. n. Zürich 1981, *Mythos und Ritual in der Kunst der 70er Jahre,* Kunsthaus, 92.

[27] Mönchengladbach 1967, *Beuys,* Städtisches Museum. Die Katalog-Kassette erschien in einer nummerierten Auflage von 330 Exemplaren. Neben einem Faltblatt und zwei Leporelli im Format von 19,5 auf 15,4 Zentimeter ist ihr eine Filzplatte von 18,7 x 15,2 x 0,6 Zentimetern Größe beigelegt, die recto mit dem Braunkreuzstempel bedruckt ist und bei der recto unten rechts ein 4,5 Zentimeter hohes und zwei Zentimeter breites Filzstück ausgestanzt ist. Die fehlende Ecke dient natürlich zunächst dazu, die unter der Filzabdeckung liegenden Katalogteile sichtbar und leichter greifbar zu machen. Ihrer Form nach ist die *Filzplatte,* wenn auch klein im Format, einem shaped canvas vergleichbar und musste gerade für die Schüler von Beuys, die sich mit dem Konstruktivismus und der zeitgenössischen amerikanischen Kunst befassten, wie ein Hinweis auf dessen Aktualität und Niveau erscheinen. Gerade diese *Filzplatte* verdeutlicht, dass der Lehrer von Knoebel mit der Frage der Bildlichkeit und der Objekthaftigkeit von Kunst bestens vertraut war. Die *Filzplatte* ist kein Aktionsrelikt oder Aktionsobjekt, sondern ein bewegliches Bildobjekt und ein reliefhaftes Bildtableau zugleich, in dem alle Ingredienzien der Theorie des *Erweiterten Kunstbegriffs* und seiner Werkästhetik aufgehoben sind.

[28] Die Intention verfolgte zwar auch Malewitsch, doch sie blieb ein Postulat. S. Kasimir Malewitsch, *Suprematismus. Die gegenstandslose Welt,* Köln 1962, 105 f: *Die Gegenstandslosigkeit kennt weder Konstruktion noch System. In ihr wird niemals etwas zusammengefügt, noch kann etwas auseinander fallen. Das gleiche gilt auch für die Natur. Trotzdem ist sie da, und wir sehen in all ihren Formen und in der menschlichen Betätigung ein ständiges Zusammenfügen und Zerlegen. Den Beweis seiner Existenz sieht der Mensch nicht so sehr in den Erscheinungen der Natur als in seinen Betätigungen. Aber ungeachtet dieses Beweises kann der Mensch doch niemals behaupten, dass seine Existenz und die Bewertung seiner Wahrnehmungen echte Wirklichkeit ist.*

[29] Vgl. George Kubler, *Die Form der Zeit. Anmerkungen zur Geschichte der Dinge,* Frankfurt am Main 1982, 61 ff.

[30] Knoebel scheint bei seinem sukzessiven malerischen Vorgehen Paul Klees Lehre von den *specifischen Dimensionen des Bildnerischen* gefolgt zu sein, die jener in seinem Vortrag, gehalten aus Anlass einer Bilderausstellung im Kunstverein zu Jena am 26. Januar 1924 zusammengefasst hat. Für Klee sind *specifische Dimensionen [...]* mehr oder weniger begrenzte formale Dinge, wie Linie, Helldunkeltöne und Farbe. S. Jena 1999, *Paul Klee in Jena 1924. Der Vortrag,* Stadtmuseum Göhre, 53. Bis zur Entstehung der Gemälde *24 Farben – für Blinky,* 1977, hatte sich Knoebel primär mit den Dimensionen der Linie und der Helldunkeltöne, die Klee auch *Tonalitäten* nennt, befasst. S. Johannes Stüttgen in: Weimar 2005, *Imi Knoebel. 9 von 24 Farben – für Blinky,* Kunsthalle Harry Graf Kessler, 6 ff.

Die Eigenexistenz des Bildes

Für dieses Verfahren musste er erreichen, dass sichtbar wird, dass das Kunstwerk eine Eigenexistenz ist und nicht allein für den Betrachter geschaffen und nicht nur auf Kommunizierbarkeit hin angelegt ist. Das Werk sollte einfach da sein wie ein Baum, der auch einfach da ist.[31] Und so begann Imi Knoebel, Bildwerke zu erzeugen, die zunächst nur bei sich sind, etwa Zeichnungen in Schränken oder Projektionen auf Wänden, die nur einmal zu sehen waren, aber da sind, oder auf die Wand geschriebene Maße von Bildern, die ebenfalls da sind, aber nicht gesehen werden können.[32]

Das Verfahren unterscheidet sich von dem der Concept Art. Imi Knoebels Werk ist wirklich, zielt aber nicht auf Ansichtigkeit. Schließlich entdeckte er, dass die Kunst es versäumt hatte, den letzten Schritt zu tun zu ihrer wirklichen Autonomie, zur Befreiung von der Ansichtigkeit. Sicherlich ist dieser Grad nur über das Ansichtigmachen zu erreichen, aber dieses kann so neutralisiert werden, dass sich die Formen und Farben wirklich autonom entfalten können. So zerlegt Knoebel die letzten Elemente der Bildwerke, die seit Cézanne noch nicht zu ihrer Autonomie gefunden hatten und befreite sie von ihrer dienenden Funktion. Hierin ist er Frank Stella verwandt,[33] der das funktionale Verhältnis zwischen den bildnerischen Mitteln ebenfalls aufhob.

Imi Knoebel ging jedoch noch einen Schritt weiter als Stella und gab jeder Farbschicht ihren eigenen Bildgrund, so dass er das Bild montieren musste. Später fand er, dass die Farbgrundflächen nicht nur auf eine Schauseite zu beziehen seien, sondern sich auch in die Tiefe orientieren. So kam er zur Bemalung der unsichtbaren Rückseiten seiner Werke, legte bemalte Platten übereinander und stapelte die Farbgrundflächen.[34] Im Grunde schuf er das Analogon zu den Batterien seines Lehrers, jenen Fonds aus Filz, in denen die Farbigkeit nicht nur mitgedacht, sondern in der Absorption des Materials aufgehoben ist und als Wärme abstrahlt. Indem Imi Knoebel den Farbschichten der Bilder auf eigenen Gründen einen Platz einräumte, vergrößerte sich ihr Volumen außerordentlich, so dass sie raumgreifend wurden, wie etwa der *Genter Raum,* 1980,[35] oder die *Batterie,* 2005.[36]

86

---

[31] Nach gut fünfundzwanzig Jahren eigenständigen Schaffens widmete Imi Knoebel dem Lehrer das Multiple *Blaue Scheibe (Ehre an Joseph Beuys),* 1992, nachdem er zuvor 1991 Malewitsch mit einem Hartfaserquadrat gewürdigt hatte. Für das Auflagenobjekt entschied er sich für Glas in der Farbe, die Joseph Beuys 1972 für die Verglasung eines Fensters des Hofraums des Informationsbüros der *Organisation für direkte Demokratie durch Volksabstimmung e. V.* in der Düsseldorfer Andreasstraße 25 auswählte. Zur gleichen Zeit markierten zwei Rahmen mit vergleichbarer kobaltblauer Verglasung mit einem weiteren mit schwefelgelbem Glasschutz den Ausgang aus den Ausstellungen *Arena – dove sarei arrivato se fossi stato intelligente* in Neapel und Rom 1972, wo zweihundertvierundsechzig Photographien aus dem Lebens- und Werklauf des Künstlers in einhundert grau gestrichene Aluminiumrahmen gefasst waren. In der Aktion *Vitex agnus castus* anlässlich des Vernissage in Neapel nutzte Beuys ein kobaltblaues Band mit der schwefelgelben Aufschrift des Aktionstitels. Während Beuys bei der Auflösung der *Informationsstelle* alle Ausstattungsstücke an sich nahm und später in plastische Werke und Installationen integrierte, verblieben die blaue Fensterscheiben vor Ort und wurden für den Schüler zum Prototypen des Auflagenwerks. Die Urfassung ließ Knoebel anlässlich seiner Hamburger Ausstellung *Mennigebilder* in ein 48,0 auf 41,8 Zentimeter großes Sprossenfeld der Fensterfront der Deichtorhallen installieren und vermachte sie zum Verbleib an dieser Stelle der Freien und Hansstadt Hamburg als Geschenk. Sie besteht Isolierglas in einem heute als *Signalblau* bezeichnetem Farbton, welcher durch die Verdoppelung der durch einen Gummirahmen gefassten Scheiben dunkelblau leuchtet. Gerade weil die Scheibe ursprünglich beständig gesehen wurde, ohne beachtet zu werden, und als *stiller Teilhaber* wirkte, und als die blaue Farbton von Joseph Beuys in Dienst genommen wurde, eignete er sich durch Verdoppelung für seine Ehrung. S. auch Johannes Stüttgen in: Darmstadt 1992, *Imi Knoebel,* Hessisches Landesmuseum, 5 ff, Abbildung in: München u. a. O. 1996 / 1997, *Imi Knoebel. Retrospektive 1968 – 1996,* 159. Zu Joseph Beuys s. Götz Adriani, Winfried Konnertz & Karin Thomas, Joseph Beuys, Köln 1994, 132 f und Uwe M. Schneede, *Joseph Beuys. Die Aktionen,* Ostfildern-Ruit 1994, 318 ff.

[32] S. Martin Schulz, *Imi Knoebel. Die Tradition des gegenstandslosen Bildes,* München 1998, 38 ff. Paul Klee wies in seinem Jenaer Vortrag auf die begrenzte bildnerische Funktion der Linie hin: *Am meisten begrenzt ist die Linie als eine Angelegenheit des Maßes allein. Es handelt sich bei ihrem Gebaren um längere oder kürzere Strecken, um stumpfere oder spitzere Winkel, um Radienlängen, um Brennpunktdistanzen. Immer wieder um Messbares! Das Maß ist das Kennzeichen dieses Elementes und wo die Messbarkeit fraglich wird, ist man mit der Linie nicht in absolut reiner Weise umgegangen.* Jena 1999, Paul Klee in Jena 1924. Der Vortrag, Stadtmuseum Göhre, 53 f.

[33] Vgl. Jena 1996, *Pictor laureatus. In Honour of Frank Stella. Frank Stella zu Ehren,* 62 ff.

[34] S. das Werk *Sandwich 2005-7,* 2005 in Raum 108 C Frommannsches Anwesen.

[35] Zum *Genter Raum* s. Düsseldorf 2005, *Sammlung Kunst der Gegenwart in K21,* Kunstsammlung Nordrhein-Westfalen Düsseldorf, K21, 122 ff, dessen 449 lackierte Holzteile in variabler Anordnung ein Bild sind.
Der Raum stellt die *Summe* von Knoebels Schaffen bis 1980 dar: *Die Bearbeitung erfolgte mit hoher Präzision, Farbspuren des Fertigungsprozesses sind nur an den rohen Schnittkanten der Teile zu sehen. Bei dem Material handelt es sich um Türblätter in der Größe von 200 mal 80 mal 4 Zentimetern. Sie hängen als Querformate in Gruppen übereinander an den Wänden. Weitere Türblätter liegen in Stapeln auf dem Boden. Ein Stapel ist an die Wand gelehnt. Dazu kommen unregelmäßig gesägte*

Spätestens seit 2004 bezieht Knoebel auch in seine für die Hängung an der Wand konzipierten Bildtableaus bewegliche Teilelemente ein. Er lehnt farbig gefasste Aluminiumtafeln oder Kunststoff-Folien, durch Schienen gegen das Abrutschen gesichert, an Bildflächen oder Wände.[37] So beweglich die Teilstücke des Tableaus werden, so bilden sie doch, auch als vielteiliges Relief oder als mehrteilige Skulptur, bildmäßig eine Einheit, *wenngleich jedes Teil [...] schon das Bild bedeuten [kann].*[38]

Den Zusammenhang scheint Imi Knoebel schon früh gesehen zu haben. In den Katalog der Ausstellung Blockade '69 lässt er seinen Text aufnehmen: 6. 2. 69 *Die Plastiken auf den Photos (24 Teile) sind eine Plastik. Bis jetzt besteht diese eine Plastik aus 36 Teilen. Meine Bilder bestehen aus 16, 10, 4, 3, 2, mindestens 1 Bild.*[39] So wie die Kubisten bei der Verflächigung der in ihren Bildern dargestellten Gegenstände mehr Platz für sie benötigten, um sie gleichsam aufzuklappen, so braucht Imi Knoebel, wenn er mit vielen Farben arbeitet, viele Malgründe. Er könnte riesige Wände füllen, um sie nebeneinander auszubreiten, aber er kann sie auch schichten, da sie sich selbst genügen und nicht unbedingt des Betrachters bedürfen. Deshalb wurde schon 1969 gefragt *Sind Knoebels Arbeiten elitär?* und geantwortet *Diesen Vorwurf erhebt der, der ihrer ästhetischen Provokation des nur Ästhetischen und Voraussetzungslosen ausweicht.*[40] Mit anderen Worten, die Bildteile beziehen sich nur auf sich selber, gehorchen ihrer eigenen Logik. Imi Knoebel räumt auf diese Weise mit der als Selbstverständlichkeit hingenommenen Auffassung auf, als gehöre dem Betrachtenden das Bild bereits. Er zeigt es ihm zwar, aber mit dem deutlichen Hinweis, dass mit dem reinen Anblick noch nichts gewonnen ist, sondern dass man mit ihm an ein seinen eigenen Gesetzen gehorchendes System herantritt, dessen man sich nur von seiner inneren Logik her versichern kann, gleichsam von der Bildrückseite her, indem man nicht auf die Farbgründe schaut, sondern mit ihnen. Nicht, dass dies Maler nicht immer schon so gesehen hätten, dass man dem Schauspiel der Kunst nur von innen her beiwohnen kann. Doch Imi Knoebel bewahrt seine Bilder außerordentlich effizient vor jeder indiskreten optischen Indienstnahme.

Sein Lehrer erreichte einen ähnlichen Effekt, indem er das Verlangen nach dem taktilen Zugriff auf seine Werke steigerte, aber nicht zum Zuge kommen ließ, damit sich der Betrachter seiner eigenen Fähigkeiten besinnt und sie andernorts zur Geltung bringt.[41] Imi Knoebel lässt den Betrachter wissen, dass er einem autarken System gegenübertritt, das ihn zulässt, aber nicht auf ihn angewiesen ist,

---

Abschnitte aus weniger starken Sperrholzplatten. Diese sind, zu Haufen geschichtet, hinter den in einer Reihe angeordneten Stapeln aus Türblättern ohne erkennbare Ordnung im Raum verteilt. Den Charakter eines Lagers teilt der Genter Raum mit vielen Installationen von Beuys, etwa mit der aus Filzstapeln geschaffenen Werkgruppe unter dem Obertitel Fond. Doch während Beuys in seinen Environments den mobilen, transformierbaren Status der Elemente wach halten will, appellieren die zwischen Chaos und Ordnung oszillierenden Schichtungen Knoebels an die Dynamik des Sehens und Wahrnehmens von Bildern. So wie sich das Auge vor einem Gemälde hin und her bewegt, über die bemalte Fläche springt, so sieht es sich im *Genter Raum* in seiner eignen Tätigkeit, oder, anders ausgedrückt, in der Anordnung der Teileelemente des Environments konstituiert sich das Sehen mit seinen Facetten selbst. Zum vergleichbaren Werk von Beuys wird *Richtkräfte* 1974 – 1977, Staatliche Museen zu Berlin, Preußischer Kulturbesitz, in dem einhundert Tafeln auf einer monumentalen Holzpalette scheinbar ohne Ordnung geschichtet sind. Drei Tafeln stehen auf Holzstaffeleien und deuten auf die Austauschbarkeit der Präsentationsstücke, die mit Texten und Diagrammen gefüllt sind. Da es sich um Schultafeln und Beschriftungen mit Kreide handelt, ist nicht nur die Auswahlmöglichkeit der Schaustücke visualisiert, sondern auch die Veränderbarkeit der Anschriebe suggeriert. Dieser Intention folgt Knoebel nicht. Er setzt die Werkgenese des Bildes in Beziehung zur Genese der Fixierung einer Bildvorstellung im Auge respektive im Gehirn des Betrachters.

[36] Die *Batterie,* 2005, für die Ausstellung in Jena ausgeführt und erstmals ausgestellt, verfolgt die Idee, den optischen Wahrnehmungsvorgang und die Bildwerdung im Bildtableau selbst zu konstituieren. Das Auge des Betrachters wohnt dem Schauspiel der Eigenaktivität des Kunstwerks bei. Es nimmt am Werden des bildlichen Gegenstandes teil, ein offener Zustand, der seit Paul Klee zum Maßstab aller in der bildnerischen Formlehre fixierten werkästhetischen Intentionen geworden ist und den auch Beuys mit seinen in der Werkgruppe *Batterien* zusammengefassten plastischen Bildern verfolgt. In der Jenaer Ausstellung ist der *Batterie,* 2005, Raum 19 III, 1968 / 2006, gegenüber gestellt, nicht um konträre Momente zwischen einer frühen und einer späten Installation von Knoebel zu demonstrieren, sondern um auf die Fähigkeit des Künstlers aufmerksam zu machen, die bildnerischen Formen zu Gunsten sich beständig erneuernder Werkdimensionen im Sinne Klees zu erweitern.

[37] S. Zürich 2004 / 2005, *Imi Knoebel,* Galerie Lelong.

[38] Imi Knoebel im Gespräch mit Dirk Luckow 1993 / 1994, in: Dirk Luckow, *O mein Schatz,* in: *Journal of Contemporary Art,* Sondernummer 1994, 79.

[39] Berlin 1969, *Blockade '69,* Galerie René Block, unpag.

[40] Heinrich Pachel, *Zu den Arbeiten von W Knoebel / Imi Was soll das? Ist das noch Kunst,* in: Berlin 1969, *Blockade '69,* Galerie René Block, unpag.

[41] S. Franz-Joachim Verspohl, *Joseph Beuys. Das Kapital Raum 1970 – 1977. Strategien zur Reaktivierung der Sinne,* Frankfurt am Main 1984, 1 ff.

vergleichbar dem, was Guillaume Apollinaire über den kubistischen Picasso 1913 sagte: *Indem Picasso die Flächen nachahmt, um Rauminhalte darzustellen, gibt er von den verschiedenen Elementen, aus denen sich die Gegenstände zusammensetzen, eine so vollständige und so genaue Aufzählung, dass sie keineswegs dank der Bemühung der Betrachter, die notgedrungen die Gleichzeitigkeit wahrnehmen, sondern eben auf Grund ihrer Anordnung die Gestalt eines Objekts gewinnen.*[42]
Facetten der Eigenexistenz

Die auf den ersten Blick wie Nachahmungen von Henri Matisses *Papiers découpés* wirkenden, zwischen 1977 und 1980 entstandenen *Messerschnitte* bestätigen, dass Imi Knoebel jede Malschicht autonom behandelt. Er schichtet die von ihm farbig gefassten Papiere, die er willkürlich zerschnitten hat. Insofern bedient er sich nicht nur der ästhetischen Erkenntnis von Matisse, sondern auch der der informellen Malerei, wofür wiederum die *Drachenzeichnungen* von 1980 einen Beleg liefern. Die einzelnen Farbschichten der gestisch spontan aufgetragenen Farben ruhen auf transparenten Folien, die übereinandergelegt wurden. Später folgen Acrylzeichnungen auf Acrylglas, zunächst mit schwarzer Farbe, 1991, dann fünffarbig, 1992 - 1995. Auch die Serie *Im Sommer,* 1984, und die *Hartfaserbilder* von 1985, mit Kreissäge und Flex bearbeitete und mit Pigmenten übermalte Hartfaserplatten, kreisen um das Prinzip der autonomen Malgründe und Farbschichten. So wie Wols und Jackson Pollock die Farbschichten durch die Besonderheit ihres Malverfahrens als unabhängig von einander behandelten, so verfährt Imi Knoebel bei diesen Werkgruppen, allerdings insofern unnachsichtiger, als er jeder Farbschicht ihre eigene Bildebene verschafft. Er negiert jede Analogie zu natürlichen Formen und möchte alles in höchster Künstlichkeit aufgehoben wissen.

Schon sein minimalistischer Start deutet aus heutigem Blickwinkel den Weg an. Die *Linienbilder,*[43] das *Schwarze Kreuz, der Keilrahmen* und *Raum 19,* zwischen 1966 und 1968 entstanden, befragen Oberflächen und Zwischenräume, vor allem die Fläche der Leinwand. Der von seiner Rückseite her zu sehende Keilrahmen handelt weniger von der Leere, dem Nichts, als vielmehr vom Malgrund und den ihm wie selbstverständlich aufgebürdeten Ansprüchen und Gewohnheiten der Kunstgeschichte. Zwar hatte Lucio Fontana die Leinwand bereits zerschnitten und im Gefolge von Wols darauf aufmerksam gemacht, dass hinter ihr auch noch etwas ist. Aber Imi Knoebel thematisiert von hinten nach vorne die Oberfläche der Leinwand. Was Wols und Pollock in einem geradewegs selbstzerstörenden Aufwand an Energie, gegen das eigene Formungsvermögen anzuarbeiten, realisierten, beginnt Imi Knoebel mit weniger zermürbenden Techniken zu leisten. Die *Projektionen* und *Projektionsbildgrößen* von 1968 bis 1974 befragen die Belastbarkeit der Malgründe, die künstlerische Angemessenheit im Umgang mit der Malfläche der Leinwand, der Wand. Raum 19 handelt von Oberflächen und Zwischenräumen,[44] auf die und in die sich etwas formen ließe, und wird so zum Zeugnis von bildnerischen Fragen, auf die der Künstler in den weiteren Versionen werkästhetische Antworten sucht. Es folgen reduktive Versuche mit *Weißen Bildern* und monochromen Farben. Die *Mennigebilder,*[45] eine konstante Ausdrucksform seit 1975, liefern eine erste befriedigende Antwort auf die Frage nach dem Verhältnis von Malgrund und Malschichten. Der vor Rost schützende Anstrich ist die Farbe vor der Farbe, bleihaltig und gefährlich.

---

[42] Guillaume Apollinaire, *Die Maler des Kubismus. Ästhetische Betrachtungen,* Frankfurt am Main 1989, 34.

[43] Als Beispiel hängt in der Ausstellung *Ohne Titel,* 1966 / 1968, Dispersion / Linnen / Hartfaserplatte (Frommannsches Anwesen Raum 108 C), ein Bild mit 81 vertikalen Linien im Abstand von 16 Millimetern.

[44] Die drei Fassungen von *Raum 19* unterscheiden sich erheblich. In der erweiterten Fassung *Raum 19 III* tritt besonders auffallend hervor, dass den Künstler, sei es willentlich, sei es ungewollt, das Modusproblem in den Bildkünsten bewegt hat. Die vielen hinzugefügten Keilrahmen weisen darauf hin, dass die Installation Fragen des Bildes thematisiert. Sie fragt nach dem Rang und der Darstellungsweise der Bildgegenstände, nach dem Darstellungsstil und den Darstellungsformen. Sie verhält sich werkästhetisch offen, vermeidet die Festlegung. Jede der vier Ansichtseiten der blockhaften Aufstellung scheint einem anderen Modus zu folgen.

[45] Die *Mennigebilder* handeln auch von der *specifischen Dimension,* die Klee als *Tonalität* bezeichnet: *[...] anderer Natur sind die Tonalitäten oder, wie man sie auch nennt: die Helldunkeltöne, die vielen Abstufungen zwischen Schwarz und Weiß. Bei diesem zweiten Element handelt es sich um Gewichtsfragen. Der eine Grad ist dichter oder lockerer an weißer Energie, ein anderer Grad ist mehr oder weniger schwarzbeschwert. Die Grade sind unter sich wägbar. Außerdem sind es die schwarzen in Bezug auf eine weiße Norm (auf weißem Grund), die Weißen in Bezug auf eine schwarze Norm (auf der Wandtafel) / oder beide zusammen in Bezug auf eine mittlere graue Norm.* S. Jena 1999, *Paul Klee in Jena 1924. Der Vortrag,* Stadtmuseum Göhre, 54.

Gleichzeitig mit den *Mennigebildern* beginnt Imi Knoebel mit den ersten Farbexperimenten – ein Hinweis auf die Bedeutung der Verwendung der Rostschutzfarbe, die dem Künstler sein folgenschweres Tun vergegenwärtigt. Die Farbe deckt bereits eine für sich lebende Schicht ab, so wie der Maler die Leinwand unter Farbe begräbt. Deshalb sucht er nach einem resistenteren, sich selbst behauptenden Malgrund und entdeckt die Hartfaser- und die Tischlerplatte, die den einzelnen Farbschichten als Träger dient.[46] Von hier aus ist der Weg zu den Aluminiumbildern nicht mehr weit, deren erstes 1991 entsteht. Aluminiumplatten und -profile werden zu den Malgründen, die sich zu Reliefs schichten lassen und dennoch bildmäßig bleiben. Ihr Vorbote ist das *Spiegelbild (für Piet, Kasimir und Carmen)* von 1981, in dem der Künstler über einen gerahmten Spiegel farbig gefasste Stäbe montierte, deren Rückseiten sich zum Teil in der Glasfläche spiegeln.

Das Bildschema ist komplexer, als es zunächst scheint. Denn es lässt sich nicht direkt aus einem Entwurf ableiten: *Der flache, einansichtige Papierentwurf stimmt mit der dreidimensionalen Version nur bis zu einem bestimmten Grad überein. Das Bild muss, nachdem es mit den angemalten Aluminiumschienen angefertigt wurde, neu überprüft werden, 'bis sich der Charakter oder die Persönlichkeit des Bildes bewiesen haben'.*[47]

Die Stabformen und die Schichtungen lassen sich aus heutiger Sicht bis zu seinen frühen Zeichnungen und der *Projektion X,*[48] also den Anfängen seines künstlerischen Arbeitens zurückverfolgen. Plötzlich erscheint Imi Knoebels Werk als geschlossenes Ganzes, das von der vollständigen Befreiung des Bildes, auch seiner Befreiung vom Beschauer, handelt.[49] Bei den Aluminiumbildern, und insbesondere bei den *Jena Bildern* ahnt man, dass die geschichteten, teils verborgenen Flächen farbig gefasst sind. So sieht der Betrachter nicht alles und das System bleibt für sich.[50]

89

---

[46] Imi Knoebel, *24 Farben - für Blinky,* 1977, Acryl oder Öl / Holz, New York, Dia Art Foundation. Der Zyklus ist erstmals vollständig in Weimar 2005, *Imi Knoebel. 9 von 24 Farben – für Blinky,* Kunsthalle Harry Graf Kessler, 21 ff, dokumentiert. Vorausgegangen war der Entstehung die *Abnabelung* von Malewitschs schwarzem Quadrat. Denn Farben *haben andere Charakteristika als Tonalitäten: [...] man kommt ihnen weder mit messen, noch mit wägen ganz bei: Da, wo mit Maßstab und mit Wage keine Unterschiede mehr festzustellen sind, z. B. von einer rein gelben zu einer rein roten Fläche von gleicher Ausdehnung und gleichem Helligkeitswert, bleibt immer noch die eine wesentliche Verschiedenheit bestehen, die wir mit den Worten gelb und rot bezeichnen. So wie man Salz und Zucker vergleichen kann bis auf ihr Salziges und ihr Süßes. Ich möchte daher die Farben Qualitäten nennen.* S. Jena 1999, Paul Klee in Jena 1924. Der Vortrag, Stadtmuseum Göhre, 54.

[47] Imi Knoebel im Gespräch mit Dirk Luckow 1993 / 1994, in: Dirk Luckow, O mein Schatz, a. a. O., 79.

[48] S. auch das Remake der *Projektion X,* 1972, DVD, 47:00 Minuten, welches 2005 von Yvonne Mohr in Zusammenarbeit mit Manuel Weber und Michael Saup realisiert wurde.

[49] Dass es Knoebel letztlich auch um eine Befreiung des Künstlers geht, wie sie nicht nur Malewitsch im 20. Jahrhundert intendierte, darf vermutet werden. Er hat sich nie dem Rechtfertigungszwang seiner Arbeit als Künstlertum ausgeliefert, da er zu Beginn seiner bildnerischen Laufbahn *[...] im Höchstfall ‚Formgestalter' werden [wollte] – nach dem Motto: ‚Hässlichkeit verkauft sich schlecht',* aber nach der Beendigung der Arbeit an *Genter Raum* von 1980 feststellen musste: *Ich habe auf einmal wirklich die Tradition des ‚Malerthemas' in der Hand, das war ganz faszinierend. Verstehst du, ich musste mir ja alles aneignen, ich war ja kein Maler.* S. Weimar 2005, *Imi Knoebel. 9 von 24 Farben – für Blinky,* Kunsthalle Harry Graf Kessler, 50 & 66.

[50] In den Environments *Wo die schönen Mädchen auf den Bäumen wachsen,* 1993, und *Gelber Platz Berlin,* 2006 (zu sehen in der Ausstellung im Foyer 103 des Frommannschen Anwesens) ist die Intention anschaulich nachzuvollziehen. Der erste Jenaer Katalog fasste die Projektbeschreibung bereits zusammen: *Annahme des Auftrages für die künstlerische Gestaltung des Platzes vor dem Landtag in Dresden und Vorschlag der Installation* Wo die schönen Mädchen auf den Bäumen wachsen: *Es handelt sich bei dem Standort der geplanten Skulptur innerhalb des Gesamtenvironments zwischen Albertinum [...] und Sächsischem Landtag um einen der exponiertesten Orte Dresdens überhaupt. Eine dort errichtete Skulptur hat für die Außenwirkung und mehr noch für das Selbstverständnis Dresdens automatisch selbst eine exponierte Funktion. Sie muss den Anspruch des Orts mit dem Anspruch der Zeit (hier: der jüngsten Vergangenheit und des dramatischen Umbruchcharakters, aber auch der Jahrtausendwende, die nahe ist) verknüpfen - im Sinne eines 'Schwellenmonumentes' [...] Eine solche Skulptur muss großzügig, aber ohne Anmaßung sein, monumenthaft und gleichzeitig asketisch [...] Sie soll nicht 'abheben', sondern muss fest und sicher 'auf Grund' stehen, umgekehrt darf sie sich aber auch nicht verfestigen (erstarren), sondern muss gerade das Bewegungsprinzip initiieren [...] Auf dem Platz vor dem Sächsischen Landtag [...] soll auf der vom Elbufer entfernteren Hälfte und in leicht versetztem Winkel um ein rechteckiges, 15,60 m breites, 25,20 m langes Feld eine 6 m hohe, 0,60 m dicke Mauerwand errichtet werden, die vollkommen geschlossen ist. Die Mauer soll aus Beton sein, präzise verputzt und mit einem ca. 0,06 m hohen Abschlussstein aus Elbsandstein versehen werden. Das ummauerte und somit unzugängliche Innenfeld soll bis zu ca. 1/3 Mauerhöhe (nach gärtnerischen Vorgaben) mit Erde angefüllt und mit Jungbäumen bepflanzt werden (sparsame Bepflanzung mit typisch sächsischem Mischwald-Bestand, aber auch Obstbäumen, z. B. Birne). Dieses Gehege soll vom Zeitpunkt seiner Fertigstellung an sich selbst überlassen bleiben [...] Am Ende des 20. Jahrhunderts, an dem schon einige riesige Bezirke der Erde durch vom Menschen bewirkte Katastrophen für Jahrtausende erniedrigt und unbetretbar gemacht worden sind, ist es doch das Wenigste, jetzt ein kleines Stück dieser Erde in Freiheit abzutreten und zu erhöhen (Umkehrmethode). [Aus der Projektbeschreibung Imi Knoebels vom November 1993]* Die zuständige Kunstkommission des Sächsischen Landtages war von der Idee der mit Leben erfüllten Skulptur zwar überrascht, würdigte sie aber dennoch. Sie gab allerdings zu bedenken, dass das Skulpturenprojekt erheblich mit der Planung für eine Tiefgarage kollidiere. Die

Auf diese Weise ist der Autonomie aller Bildelemente Rechnung getragen, aber zugleich auch der des Beschauers. Sie treten sich gleichrangig gegenüber. Von hier aus eröffnet sich der Kunst ein neuer Kontinent, so dass Imi Knoebel zu Recht sagt: *Die Welt der ungegenständlichen Kunst ist bisher nur am Rand berührt worden, wie der Kosmos von unseren Raumfahrzeugen. Ausgemessen ist sie noch lange nicht,*[51] wie auch Frank Stella meint,[52] der in seinen Reden und Schriften immer wieder fragt, weshalb die *abstrakte Kunst* weniger lebendig wirke als die figurative.

In seinem die nördliche und die südliche Sphäre kombinierenden *Sternenhimmel,* 1974 / 2006, der aus 54 schwarzweißen zu einem strengen Hochrechteck gruppierten Photographien von 40 auf 30 Zentimeter im Rahmen besteht und in Jena erstmals als neue Edition zusammenhängend ausgestellt ist, hat Knoebel seine Nachtaufnahmen jeweils um ein zusätzliches künstliches Gestirn bereichert. Mit dem Zusatz erinnert er an das Wechselverhältnis von *kosmischer Unendlichkeit* und *selbstbestimmter Tat* des Menschen,[53] an das Spannungsverhältnis von natürlicher und artifizieller Schöpfung. Indem der Maler die Natur ergänzt, markiert und ordnet er sie.[54] Er erschafft sie für den Menschen neu, ohne ihr einen eindeutigen Sinngehalt zu unterstellen. So bleibt das Werk einerseits dem natürlichen Kontext verpflichtet, wie andererseits die Natur dem Bild als Fond dient. In diesem Sinne ist die ungegenständliche Kunst noch nicht über ihre Anfänge hinausgekommen,[55] wenngleich ihr Knoebel mit seiner jüngsten Serie neue Bilddimensionen erschließt.

Die in Jena zu sehenden vier großformatigen Bildtableaus aus der Werkgruppe *Ich nicht* resümieren nicht nur den bisherigen bildnerischen Weg, den der Maler zurückgelegt hat, sondern deuten auch dessen malerische Perspektive an. Indem Knoebel auf die Frage Barnett Newmans *Who's Afraid of Red, Yellow, and Blue*[56] antwortet *Ich nicht,* erklärt er programmatisch, die von Klee als *unterbewusste Bilddimensionen*[57] bezeichneten psychologischen Wirkmechanismen im Gemälde nicht mehr zur Geltung kommen lassen zu wollen. Tatsächlich sind in den Wandbildern vergleichbaren Tableaus alle experimentellen Teiloperationen im Umgang mit der Linie, den Helldunkeltönen und der Farbe, die zu spekulativen Analogien verleiten könnten, durch Kombinationen von Maßen (Zeichnung), Gewichten

90

Baukommission des Sächsischen Landtages schlug daraufhin vor, die Standortplanung für das Kunstobjekt dem städtebaulichen Gesamtkonzept und der Tiefgaragenplanung unterzuordnen - ein Vorschlag, dem sich die Kunstkommission beugte. Dem Künstler wurde unterbreitet, ein Werk für den ursprünglich festgelegten Standort zu planen. Er teilte abschließend mit, für diese Aufgabe nicht mehr zur Verfügung zu stehen, da sich mit dem Entscheid wieder einmal gezeigt habe, dass die Kunst den vermeintlichen Sachzwängen nachgeordnet werde: *Das 'Kunstobjekt' rangiert hinter der Tiefgarage. Dazu ist vor jeder weiteren Bewertung aus Gründen der Begrifflichkeit anzumerken, dass diese Prioritätenentscheidung selbst schon eine künstlerische Entscheidung ist, also auch nach dem strengen Maßstab der Kunst beurteilt werden muss.* [Aus einem Brief des Künstlers vom 14. April 1994]

[51] Imi Knoebel zit. nach Alfred Welti, *Wie ein Asket das Zaubern lernte,* in: art. das Kunstmagazin, Nr. 6, 1984 (Juni), 59.

[52] Jena 2001, *The Writings of Frank Stella. Die Schriften Frank Stellas,* Kunsthistorisches Seminar, 10 ff

[53] Johannes Stüttgen in Weimar 2005, *Imi Knoebel. 9 von 24 Farben – für Blinky,* Kunsthalle Harry Graf Kessler, 10.

[54] Pablo Picasso und die Surrealisten haben sich mit der Frage befasst, welche Bildfiguren in die ansichtigen Gestirne zu lesen seien, und sich die Evokationen der antiken Welt zu vergegenwärtigen gesucht.

[55] Bereits zu Beginn seines bildnerischen Werdegangs war sich Knoebel des Reichtums der Dimensionen der Kunst bewusst. Zwischen 1968 und 1973 verfolgt er das Ziel, in *250.000 Zeichnungen* das Verhältnis von Linie und Fläche zu erfassen. Er beginnt mit einzelnen Streckenstücken, die er mit Bleistift und Lineal auf DIN A4-Bögen festlegt, und endet mit komplexen Reihungen. Infolge der Einsicht, dass er bei einem achtstündigen Arbeitstag über dreihundert Jahre benötigen würde, um alle Möglichkeiten allein der Streckenkombinationen zu erfassen, berechnet er den nötigen Platz zur Unterbringung der geschätzten Anzahl der Papierblätter. *Die Zeichnungen wurden in 912 Registermappen eingeordnet und nach genau bestimmter Reihenfolge in sechs hohen, schmalen Schränken untergebracht, wobei jede Mappe ihren eigenen Fachboden erhielt.* S. Martin Schulz, *Imi Knoebel. Die Tradition des gegenstandslosen Bildes,* München 1998, 40 ff.

[56] So der Obertitel einer Werkserie. S. die drei Fassungen von *Who's Afraid of Red, Yellow and Blue II,* 1967, in Stuttgart, Staatsgalerie, *Who's Afraid of Red, Yellow and Blue III,* 1966 – 1967, in Amsterdam, Stedelijk Museum und *Who's Afraid of Red, Yellow and Blue IV,* 1969 – 1970, in Berlin, Staatliche Museen zu Berlin, Neue Nationalgalerie. Der Betrachter wohnt in Newmans Bildern der Entstehung der Farbe bei. Newman selbst hat diesen Vorgang mit dem Begriff des Erhabenen, des Sublimen, gekennzeichnet. Er aktiviert eine ästhetische Kategorie des 18. Jahrhunderts, die der englische Philosoph Edmund Burke entscheidend geprägt hat. In der *Erfahrung einer alle vertrauten Erfahrungen übersteigenden Erfahrung* soll der Betrachter überwältigt werden, so wie dies etwa beim Anblick von Naturphänomenen geschieht, die nicht alltäglich sind. Die Einförmigkeit der Leinwand (uniformity) und das gleichzeitige Werden der Farbe verweisen den Betrachter auf Vorgänge außerhalb seiner selbst und damit auf ihn selbst zurück. In einer 1948 erschienenen Schrift *The Sublime Is Now* schrieb Newman, der Mensch habe das Verlangen nach absoluten Emotionen und er liefere sie gleichsam ideologiefrei, ohne historische Bezüge und Konnotationen. Max Imdahl hat daraus den Schluss gezogen, in der durch die Erhabenheit der Bilderscheinung bedingten konkreten Situation der Überwältigung werde das Präsenzerlebnis des Beschauers als eine neue Erfahrung und Erklärung seines Selbst und seiner Freiheit zum Thema. S. Armin Zweite, *Barnett Newman. Bilder, Skulpturen, Graphik,* Ostfildern-Ruit 1999.

[57] S. Jena 1999, *Paul Klee in Jena 1924. Der Vortrag,* Stadtmuseum Göhre, 69.

(Tonaltät, Helligkeitswert) und Qualitäten (Farbwert) auf verschiedenen Malgründen ersetzt. In den Bildeinzelteilen kultiviert Knoebel die drei bildnerischen Dimensionen und belässt ihnen dank der Weise ihrer Verwendung den Charakter eines reinen Elementes, unterstützt dadurch, dass sie einen jeweils eigenen Farbträger aus Aluminium oder Kunststoff-Folien erhalten. Gleichzeitig jedoch synthetisiert die Gesamterscheinung der Bilder die Dimensionen, die in der verwendeten Spannweite alle elementaren Aspekte des Bildnerischen aufscheinen lassen, so dass jene Polyphonie entsteht, die bereits Paul Klee beschwor: *Kunst verhält sich zur Schöpfung gleichnisartig. Sie ist jeweils ein Beispiel, ähnlich wie das Irdische ein kosmisches Beispiel ist. Die Freimachung der Elemente, ihre Gruppierung zu zusammengesetzten Unterabteilungen, die Zergliederung und der Wiederaufbau zum Ganzen auf mehreren Seiten zugleich, die bildnerische Polyphonie, die Herstellung der Ruhe durch Bewegungsausgleich, all dies sind hohe Formfragen, ausschlaggebend für die formale Weisheit, aber noch nicht Kunst im obersten Kreis. Im obersten Kreis steht hinter der Vieldeutigkeit ein letztes Geheimnis und das Licht des Intellekts erlischt kläglich.*[58]

Franz-Joachim Verspohl

91

---

[58] Paul Klee, *[Schöpferische Konfession]*, in: Kasimir Edschmid, Hg., *Schöpferische Konfession,* Berlin 1920, 38 f.

Dank

Die Wechselwirkung zwischen Kunst und Leben bereichert, wie bereits Johann Wolfgang von Goethe, Novalis und Heinrich von Kleist wussten, nicht nur beide Sphären, sondern hebt sie erst auf das Niveau höherer Geselligkeit.

Daher ist zuerst Imi Knoebel zu danken, welcher Jena seine Zuneigung schenkt. Ohne seine Sorgfalt wäre die Realisierung der Ausstellung undenkbar gewesen. Nicht minder großen Dank schulden wir Carmen Knoebel, die das Unternehmen in jeder Phase vermittelnd, beratend und organisierend betreut hat. Nicht unerwähnt bleiben darf, dass sich das Ehepaar Knoebel auch für die materielle Absicherung des Projekts in großzügiger Weise engagiert hat.

Der Rektor der Friedrich Schiller Universität, Prof. Dr. Klaus Dicke, hat erheblich Anteil am Gelingen des Projekts. Dank gilt ebenso dem Kanzler der Universität, Dr. Klaus Kübel, welcher zwar den Notwendigkeiten des universitären Alltagslebens sein Hauptaugenmerk zuwenden muss, aber zugleich weiß, dass exzellente Wissenschaft ihr Pendant in einer ebenso exzellenten Kunst sucht. Selbst wenn die Mittel, welche die Universität für derartige Aufgaben zur Verfügung stellen kann, eher bescheiden sind, so haben das Kanzleramt und die ihm zugeordneten Dezernate immer Wege gefunden, derartige Vorhaben realisieren zu helfen. Daher gilt der Dank den Dezernenten Udo Hätscher und Gottfried Stief genauso wie ihren Mitarbeitern und den Handwerkern, welche die Ausstellungsräume des Universitätsforums mit großer Sorgfalt renoviert und für die Ausstellung vorbereitet haben. In diesen Dank sind auch die Mitarbeiter der Kustodie eingeschlossen.

Besonderer Dank gilt Rainer Wächter und den Mitarbeitern des Druckhauses Gera, welche seit 1995 die Minerva-Bände mit hohem Anspruch drucken und herstellen.

Walther König, Köln, danken wir für sein erneutes verlegerisches Engagement.

Den Photographen Anton Corbijn, Ivo Faber und Nic Tenwiggenhorn danken wir für die großzügig überlassenen Porträt-, Werk- und Installationsaufnahmen. Ivo Faber hat während seiner dreitägigen Arbeit in Jena manch erhellenden Blick auf Imi Knoebels Werk ermöglicht. Christian Finger und Philipp Hüller gebührt Dank für den Mut der Realisierung von zwei aufwendigen Computeranimationen, die einen Eindruck von der Gestaltform zweier Projektideen Imi Knoebels vermitteln.

Für die Konstruktion und den Aufbau der *Batterie*, 2005, ist Burkhardt Daams, Düsseldorf, zu danken, für den Transport der Werke und die Beteiligung am Ausstellungsaufbau der Firma I. A. M. Knab, Düsseldorf, und ihren Mitarbeitern. Unvergessen ist der Einsatz von Maria Ebbinghaus, Toni Hildebrandt, Stephan Rößler, Benjamin Dodenhoff, Michel Becker, Martin Baumgart, Christoph Breitenberger, Luis Müller Philipp-Sohn, Karsten Kenklies und Christoph Pflaumbaum, alle Studierende in Jena, die vom 3. bis zum 5. Mai auf Bibliothek und Sonnenbad verzichtet und stattdessen unter zum Teil hartem körperlichem Einsatz das Aufbauteam des Künstlers ergänzt haben.

Dass die Ausstellung in wesentlichen Teilen vom Henry Moore Institute in Leeds und vom Wilhelm-Hack-Museum in Ludwigshafen übernommen wird, unterstreicht nicht nur ihren Rang, sondern trägt zur Erleichterung der Durchführung des Vorhabens bei. Wir danken Dr. Penelope Curtis und Dirk Martin für ihr Engagement.

Unser Dank gilt auch der Schott AG, insbesondere Wolfgang Meyer, Jena, und Klaus Hofmann, Mainz, für das Sponsoring des Ausstellungskataloges.

Nicht zuletzt gilt der Dank all denen, die mit ihrer Begeisterung für das Werk von Imi Knoebel den Mut der Veranstalter gefördert haben, das Wagnis dieses nicht nur für Jena bedeutsamen Ereignisses einzugehen. Insbesondere danken wir jenen Universitätsangehörigen, die mit ihrem Engagement dazu beigetragen haben, dass die Realisierung des Unternehmens überhaupt ins Blickfeld geraten konnte.

Ulrich Müller, Karl-Michael Platen, Franz-Joachim Verspohl

Inhalt

Imi Knoebel
Anton Corbijn

5

Werke von 1966 bis 2006
Imi Knoebel

6

Wüste und Paradies. Ein Weg auf das Werk Imi Knoebels zu
Wolfram Hogrebe

76

Malgründe, Malschichten, Bildtableaus
Franz-Joachim Verspohl

83

Dank

92

Inhalt

94

Impressum, Copyright und Bildnachweis

95

Pictor laureatus.
Imi Knoebel zu Ehren.
Werke von 1966 bis 2006

herausgegeben von Franz-Joachim Verspohl in Zusammenarbeit mit Carmen und
Imi Knoebel, Ulrich Müller und Karl-Michael Platen
Minerva. Jenaer Schriften zur Kunstgeschichte:
hg. von Franz-Joachim Verspohl

Bd 16. Pictor laureatus. Imi Knoebel zu Ehren. Werke von 1966 bis 2006
mit Beiträgen von Imi Knoebel, Anton Corbijn, Ivo Faber, Nic Tenwiggenhorn,
Christian Finger, Philipp Hüller, Wolfram Hogrebe und Franz-Joachim Verspohl
Lehrstuhl für Kunstgeschichte mit Kustodie der Friedrich Schiller Universität Jena · Verlag der
Buchhandlung Walther König, Köln

Satz und Druck: Druckhaus Gera
(Minerva. Jenaer Schriften zur Kunstgeschichte; Bd. 16)
Katalogredaktion: Franz-Joachim Verspohl
Katalogdesign: Rainer Wächter, Gera und Jena

Porträtphotographie: Anton Corbijn, London
Werk- und Installationsphotographie: Ivo Faber, Düsseldorf
Werkphotographien: Nic Tenwiggenhorn, Düsseldorf
Stills der Computeranimation: Christian Finger und Philipp Hüller, Jena
Lithographie: Robert Sell, Gera, Madeleine Walter, Gera
Technische Betreuung: Uwe Hartmann, Gera
Gedruckt auf PhoeniXmotion
Gesamtherstellung: Druckhaus Gera

Die Deutsche Bibliothek - CIP-Einheitsaufnahme
Pictor laureatus. Imi Knoebel zu Ehren. Werke von 1966 bis 2006 [anlässlich der Ausstellung
des Lehrstuhls für Kunstgeschichte mit Kustodie der Friedrich Schiller Universität; Jena, 23. Mai bis
4. August 2006] mit Beiträgen von Imi Knoebel, Anton Corbijn, Ivo Faber, Nic Tenwiggenhorn,
Christian Finger, Philipp Hüller, Wolfram Hogrebe und Franz-Joachim Verspohl

hg. von Franz-Joachim Verspohl in Zusammenarbeit mit Carmen und Imi Knoebel, Ulrich Müller und
Karl-Michael Platen

Jena: Lehrstuhl für Kunstgeschichte / Köln: König, 2006 (Minerva. Bd. 16)

ISBN 3-86560-096-4